Roger Vailland est né à Paris en 1907. Reporter à Paris-Soir, il parcourt les Balkans, le Proche-Orient, l'Abyssinie. A la fin de la guerre, il publie son premier roman : Drôle de Jeu *qui obtient le Prix Interallié.*

325.000 Francs *paraît en 1955, et l'écrivain obtient le Prix Goncourt pour* **La Loi** *en 1957.*

325.000 Francs est la somme que doit se procurer Busard s'il veut obtenir la main de Marie-Jeanne.

Il va s'atteler à sa machine, esclave d'un travail inhumain... Sera-t-il plus fort que l'engrenage dont la cadence obsédante rythme ses nuits et ses jours?

ŒUVRES DE ROGER VAILLAND

Dans Le Livre de Poche :

LES MAUVAIS COUPS.
DRÔLE DE JEU.
BON PIED BON ŒIL.
UN JEUNE HOMME SEUL.

ROGER VAILLAND

325 000 francs

ROMAN

BUCHET-CHASTEL

I

LE Circuit cycliste de Bionnas se dispute chaque
année, le premier dimanche de mai, entre les
meilleurs amateurs de six départements : l'Ain,
le Rhône, l'Isère, le Jura et les deux Savoie.
C'est une épreuve dure. Les coureurs doivent
franchir trois fois le col de la Croix-Rousse, à
1 250 mètres d'altitude. Les dirigeants des
grandes fédérations y envoient des observateurs.
Il est arrivé plusieurs fois que le vainqueur du
Circuit de Bionnas, devenu professionnel, s'il-
lustrât dans Paris-Lille, Paris-Bordeaux, le Giro
d'Italia, le Tour de France.

J'habite un village de montagne, à peu de
distance de Bionnas, ville industrielle, le principal centre français de production d'objets en
matière plastique, dans les monts du Jura, à
moins d'une heure de voiture de la frontière
suisse. J'y descends souvent à la fin de l'après-
midi. J'aime l'animation des villes ouvrières, à

l'heure de la sortie des ateliers, les motos qui se fraient bruyamment leur chemin parmi les cyclistes, les boutiques pleines de femmes, l'odeur d'anis à la terrasse des cafés.

La veille du Circuit 1954, vers sept heures du soir, je descendais l'avenue Jean-Jaurès qui est la principale artère de Bionnas. Cordélia, ma femme, m'accompagnait. Nous venions de nous arrêter devant une boutique où de violents éclairages faisaient scintiller des bijoux bon marché; les vitrines de Bionnas ont plus d'éclat qu'il n'arrive d'ordinaire en province; elles évoquent les banlieues, Montrouge, Saint-Denis, Gennevilliers. Nous aperçûmes Marie-Jeanne Lemercier qui s'avançait d'un pas tranquille au milieu des passants pressés.

Sa veste de lainage blanc tombait bien droit. La coiffure en trois plis, sans un cheveu qui se rebiffe. Les bas, du calibre comme toujours le plus fin, parfaitement tendus. Légèrement maquillée : un trait de rouge sur les lèvres, un rien de bleu sur la paupière pour faire chanter le bleu de l'œil. Elle venait de faire son marché et tenait à la main un filet chargé de légumes et de salades, avec trois tomates sur le dessus.

Nous l'avions rencontrée à plusieurs reprises,

chez des ouvriers de nos amis ou dans des bals
publics. Elle sortait le plus souvent avec Bernard Busard, un garçon de trois ans plus jeune
qu'elle (Marie-Jeanne a vingt-cinq ans), dont le
métier était de porter, sur un tricycle, les objets en matière plastique, qui sortent en grande
série des presses à injecter des Établissements
Plastoform, aux ouvriers à façon qui les finissent.
Au retour du service militaire, Busard avait
acheté un vélo de course. Son travail achevé, il
allait s'entraîner sur le stade, dont la piste est
relevée comme un vélodrome, ou sur les routes
du voisinage. Tricycle ou bicycle, il était toute
la journée sur des roues.

Cordélia et moi, nous n'avions pas compris
si Busard était l'amant, le fiancé ou tout simplement le camarade de Marie-Jeanne. Ils se
disaient vous, se tenaient rarement par le bras
et nos amis les invitaient séparément. Mais au
bal Marie-Jeanne ne dansait qu'avec Busard.
Cordélia lui avait demandé pourquoi.

« Il a son amour-propre », avait répondu
Marie-Jeanne.

Elle avait ajouté :

« Il ne faut jamais vexer un homme. »

Après les salutations mutuelles et avoir
échangé des nouvelles des amis communs :

« Savez-vous, demanda Marie-Jeanne, que Busard court le Circuit? »

Elle en parla avec une certaine excitation, nous expliquant que c'était la première course importante à laquelle le garçon allait participer. Que des intrigues de dernière heure avaient failli empêcher son engagement. Que Paul Morel, le fils de son patron, était également le principal supporter de l'Etoile cycliste de Bionnas, mais qu'on ne peut jamais se fier aux promesses de Paul Morel, un beau parleur. Qu'enfin Busard avait réussi à s'imposer dans l'équipe qui allait défendre les couleurs de Bionnas.

« Tant mieux, dit Cordélia. Cette saison, il m'a paru en pleine *forme*. »

Nous lui offrîmes de suivre la course avec nous, dans notre voiture.

« Oh! oui », dit-elle.

Nous l'accompagnâmes jusque chez elle. Tout en bavardant, elle mit le dîner sur le feu, pour qu'il fût prêt quand arriverait sa mère, qui faisait des heures supplémentaires à Plastoform. Puis elle se remit au travail.

Marie-Jeanne est lingère. Elle coud ou brode toute la journée, assise près de la fenêtre. Elle habite le seul baraquement de la Cité Morel qui se trouve en bordure de la route de Saint-

Claude. Ainsi les passants la voient tout au long de l'année, assise bien droite sur une chaise de paille à haut dossier, maniant des choses délicates, du linon, de la soie, de la batiste, rien que des blancheurs où ses ongles vernis posent des taches de rouge vif.

Le lendemain, nous fûmes bien avant l'heure du départ au café à l'enseigne du *Petit Toulon,* où se tient la permanence de l'Etoile cycliste de Bionnas.

Paul Morel expliquait au numéro 12, Lenoir, le meilleur de l'équipe, la tactique qui devait lui permettre de triompher des Lyonnais et du 17, un redoutable Grenoblois.

Jambe d'Argent, le patron du *Petit Toulon,* me fit un clin d'œil pour se moquer du fils Morel. Pour Jambe d'Argent, ancien légionnaire, ancien marin, vieux bordelier, rien de ce qui se passe à Bionnas ne mérite d'être pris au sérieux.

Marie-Jeanne prit le bras de Cordélia; elle n'aime pas Jambe d'Argent.

Busard entra, portant le maillot rouge à l'emblème de l'Etoile, son vélo à la main. Il nous salua de loin, d'une inclinaison de tête. Marie-Jeanne lui répondit de même.

Busard appuya son vélo contre une table, à l'autre bout de la salle. Avec le doigt, il gratta quelque chose sur la selle. Il regarda le vélo, d'un air de réflexion. Puis il le retourna et fit mouvoir le pédalier, tendant l'oreille pour écouter le bruit des roulements. Il est grand, le visage osseux, le nez busqué, le teint sombre.

Il chercha dans la musette qu'il portait en bandoulière et qui était marquée à l'emblème de l'Etoile. Il en tira une burette et fit couler de l'huile dans le dérailleur.

Marie-Jeanne s'était détournée. Elle alla jusqu'à la porte et regarda le ciel :

« Ils vont sûrement avoir de l'orage », dit-elle.

Busard écouta encore le bruit des roulements. Puis il se dirigea nonchalamment vers nous. Les muscles longs des cuisses et des mollets se mouvaient lentement sous la peau à poils noirs. Il s'arrêta. Marie-Jeanne fit face.

« Bonjour Marie-Jeanne », dit-il.

Elle lui tendit la main.

« Bonjour Bernard », dit-elle.

Je vis sur le visage de Cordélia que cette solennité l'enchantait. Marie-Jeanne et Busard se regardaient gravement.

« Alors, me dit Busard, vous allez suivre la course.

— Je connais bien le parcours, dis-je. Le col de la Croix-Rousse est dur quand on vient du Clusot.

— A Bionnas, dit-il, nous sommes tous des grimpeurs. »

Il continuait de regarder Marie-Jeanne. Elle ne cillait pas.

Paul Morel surgit.

« Pas de bêtises, dit-il à Busard. Les deux premiers tours, tu restes dans le peloton, même si tu as l'impression que tes roues te poussent au cul... Sauf, bien sûr, si Lenoir s'échappe...

— Il ne s'échappera pas avant le deuxième tour? demanda Busard.

— Tu le verras bien... Quand il s'échappera, tu colleras à sa roue, si tu le peux...

— Je pourrai.

— On verra... Accroche-toi, mène à sa demande et ne t'occupe pas du reste. T'as bien compris?

— Compris... Mais si Lenoir reste en rade?

— Ne t'inquiète pas.

— Il peut avoir un accident...

— Alors, si le cœur t'en dit et si tu n'as pas encore les jambes en coton, tente ta chance. »

Paul Morel se tourna vers nous. Il a de grosses joues, mais pas aussi rouges que leurs rondeurs laissent imaginer qu'elles le furent; c'est qu'il passe souvent la nuit dans les bars de Lyon ou de Genève.

« La difficulté, me dit-il, c'est de leur faire comprendre la tactique... »

Il s'adressa à Marie-Jeanne.

« Le cerveau, voilà avec quoi on gagne les courses. Enfoncez bien ça dans le crâne de votre bon ami. »

Paul Morel virevolta vers ses autres coureurs. Au mot « bon ami », Marie-Jeanne avait rougi.

« Je vous remercie, me dit Busard, que Mlle Lemercier puisse suivre la course... »

Il se tourna vers Marie-Jeanne.

« Je me sens en pleine *forme*... Vous verrez...

— Oh! dit Marie-Jeanne, ce n'est pas parce que vous êtes dans la course que je suis contente de la suivre.

— Vous n'êtes pas encourageante », dit-il.

Elle eut un petit rire.

« Allez donc, beau cœur, dit-elle.

— Tous sur la ligne de départ, cria Paul Morel.

— Bonne chance, dis-je à Busard. Je suis sûr que cela ira très bien.

— Foncez, dit Cordélia. Ne vous occupez pas de la tactique. On sera derrière vous. On vous encouragera. Vous allez voir comme je crie. »

Busard alla prendre son vélo et repassa devant nous. Marie-Jeanne parut avoir un remords.

« Bonne chance », dit-elle.

Il sortit sans répondre. Nous le suivîmes. Juliette Doucet arrivait sur son scooter.

« Le rouge te va bien, dit-elle à Busard.

— Il va sûrement faire de l'orage », dit-il, en lui montrant le ciel du côté du Clusot.

Juliette Doucet est grande et a une belle gorge que les hommes essaient toujours de toucher. Elle se défend sans se fâcher. On dit d'elle : *quel beau châssis!*

Elle renverse la tête en arrière. Elle porte longs ses cheveux noirs. Quand elle roule sur son scooter, que le vent plaque sa robe et soulève sa chevelure, elle est vraiment belle. Lorsque les voyageurs de commerce inscrivent Bionnas sur leur carnet de tournée, ils se sentent soudain plus heureux (ou moins malheureux) parce qu'ils pensent qu'ils verront Juliette Doucet passer sur son scooter, cheveux au vent.

« Tu m'emmènes ce soir au bal? demanda-t-elle à Busard.

— Ce soir j'aurai sommeil. »

Elle regarda du côté de Marie-Jeanne.

« Ça va, ça va, dit-elle en élevant la voix. Je ne veux pas te faire avoir des ennuis. »

Paul Morel sortait du bistrot. C'est lui qui a payé le scooter de Juliette.

« Elle en tient toujours pour toi », dit-il à Busard.

Juliette montra Busard à Paul.

« Il est sévère, dit-elle.

— Laisse-là ton scooter et suis-moi, dit Paul. C'est toi qui donneras le départ...

— Formidable », dit Juliette.

Elle s'adressa à Busard.

« Je fermerai les yeux et je penserai à toi. Ça te fera gagner.

— Il n'a aucune chance, dit Paul Morel.

— Quelle garce », ajouta-t-il.

Le Circuit de Bionnas est en forme de huit; il se dispute en trois tours. Au départ, vingt-trois kilomètres de côte jusqu'au col de la Croix-Rousse, par la Nationale de Saint-Claude, belle route à virages relevés, à pentes mesurées; sept kilomètres de descente très raide, par treize lacets, jusqu'à Bionnas; c'est la *grande boucle*. La *petite boucle*, dix kilomètres autour de Bionnas, comporte beaucoup de pavés et plusieurs raidillons. Au second tour, le circuit est inversé et le col de la Croix-Rousse attaqué depuis Le Clusot, par treize lacets; c'est à ce moment que commence généralement la véritable bataille. Le troisième tour se dispute dans le même sens que le premier; la *petite boucle,* qui oblige à tourner le dos à la ligne d'arrivée dont on aperçoit déjà les ormes, prend alors toute sa signification, le coureur pense : tout est à recommencer; à partir de ce moment, on se bat davantage avec le cœur (*Rodrigue as-tu du cœur?*) qu'avec le muscle ou le souffle. Ainsi le Circuit de Bionnas répond à l'exigence qu'une course cycliste, comme une course de taureaux, touche à son point culminant quand les coureurs, comme le taureau, sont à bout de force.

Juliette Doucet donna le signal du départ. Les coureurs s'élancèrent à vive allure sur la route de Saint-Claude. Je les suivis un moment; le compteur de la voiture marquait trent-huit kilomètres à l'heure. Les amateurs, dans ces courses de province, mènent souvent plus rudement que les professionnels des grandes épreuves, qui s'entendent tacitement pour ménager leurs forces.

Je pris les devants pour voir le premier passage au col. La foule était près de la ligne blanche qui barrait la route au point culminant;

le premier qui la franchira gagnera la prime
offerte par une marque d'apéritifs. Des familles
avaient amené des pique-niques. Beaucoup de
voitures rangées dans les prés. Des nuages s'amas-
saient sur les monts du haut Jura; il faisait
très chaud; l'air était rare; les taons s'attachaient
aux hommes.

Le 8 passa le premier, un garçon si trapu que
bien qu'il montât debout sur les pédales, nous
ne pensâmes pas au joli terme « monter en
danseuse » qui désigne cette figure du style
cycliste. Il portait un maillot blanc sans emblème de club.

Le peloton suivit à deux minutes. Les hommes
savaient que la prime leur était enlevée et ne
forcèrent pas l'allure à l'approche de la ligne
blanche. Le 17, le Grenoblois redouté, maillot
bleu ciel, menait avec aisance.

Busard était dans le milieu du peloton. Il
acheva la montée, assis sur la selle, tout l'effort
portant sur les jambes. Il paraissait absorbé,
concentré, mais pas fatigué. Il ne nous vit pas.

Lenoir creva à dix mètres de la ligne blanche,
il n'avait pas encore posé pied à terre que les
autres avaient disparu, happés par la descente
en lacets vers Le Cluzot. Paul Morel qui suivait
le peloton dans sa Vedette, stoppa pour aider

Lenoir à changer sa roue. Nous approchâmes.

« Qui est le 8? demandai-je.

— Un Bressan, dit Paul Morel. C'est la première fois qu'il court ailleurs qu'autour de son village. Vingt ans. Un petit pecnot...

— Il a pris deux minutes sur vingt kilomètres, protesta vivement Cordélia. C'est un vaillant petit coureur. »

Juliette, assise, à l'arrière de la Vedette, à côté de Jambe d'Argent, rit.

« Il a les jambes courtes, dit-elle.

— Il n'ira pas loin », dit le commissaire de la course qui accompagnait Morel.

Cordélia nous entraîna.

« Le sport rend méchant », dit-elle.

Marie-Jeanne n'était pas descendue de voiture. Elle n'avait pas dit un mot depuis le départ.

Les hommes qui avaient été lâchés dans la côte arrivaient par groupes de deux ou trois. Je n'avais plus aucune chance de rattraper le peloton avant Le Cluzot; dans les pentes rapides les cyclistes qui prennent les tournants plus courts vont plus vite que les voitures; je retournai vers Bionnas par la route de Saint-Claude, pour attendre les coureurs à l'entrée de la *petite boucle.*

Nous nous assîmes à la terrasse d'un café. Il faisait de plus en plus chaud.

Paul Morel précéda la course. Il s'arrêta un instant à notre hauteur.

« Votre bon ami fait l'idiot, cria-t-il à Marie-Jeanne. Il s'est lancé tout seul à la poursuite du Bressan.

— Et Lenoir? demandai-je.

— Tout ça, c'est du bidon, dit Jambe d'Argent. La course n'a pas encore commencé. »

Morel rembraya et la Vedette disparut dans la *petite boucle*.

« Paul Morel et Jambe d'Argent, ça fait la paire », dit Marie-Jeanne.

Puis elle pinça les lèvres. Je commençai à regretter d'avoir emmené cette fille maussade. Un taon nous avait suivis depuis le col et j'essayais vainement de l'écraser avec un journal plié en huit. Nous n'en finissions pas d'éponger la sueur sur nos fronts.

Le Bressan passa le premier. Busard suivait à une minute et demie.

« Forza Busard! cria Cordélia, qui a été élevée en Italie.

— Est-ce vrai qu'il a commis une faute? demanda Marie-Jeanne.

— Il se fatigue trop tôt. »

Le peloton, mené par un Lyonnais, passa sans hâte, à deux minutes de Busard.

A la sortie de la *petite boucle*, Busard n'était plus qu'à cinquante secondes du Bressan, et avait trois minutes d'avance sur le peloton.

Nous suivîmes pendant un bon moment le peloton qui roulait vers Le Clusot à trente à l'heure; l'échappée des deux jeunes gens ne préoccupait évidemment pas les leaders, qui se réservaient pour l'attaque des treize lacets. Six hommes, menés par Lenoir, rejoignirent à mi-chemin du Clusot.

J'accélérai; je poussai à cent; Cordélia chronométrait. Quand nous rattrapâmes Busard, elle calcula rapidement qu'il avait quatre minutes et trois kilomètres d'avance sur le peloton. Je le lui criai au passage. Il fit un geste amical de la main.

« Il n'a pas l'air de fatiguer », dit Marie-Jeanne.

Le Bressan n'avait plus que quatre cents mètres d'avance sur Busard. Je le rattrapai et me maintins un instant à sa hauteur.

« Il y a un isolé à quatre cents mètres », lui criai-je.

Il ne parut pas entendre. Je répétai :

« Le peloton est à trois kilomètres, mais il y a un isolé derrière toi. »

Il se retourna et aperçut Busard. Mais au lieu d'attendre, il se courba sur le guidon et força. Il n'avait évidemment aucune expérience des courses. Je criai :

« On roule mieux à deux. Attends l'isolé. Ménage-toi, espèce de brute! Tu sprinteras à l'arrivée si tu en es encore capable... »

Mais il força davantage, comme si c'était moi qui le poursuivais. Il a de grosses joues, d'un rose très frais, et les cheveux blonds en boucles courtes sur le front.

Nous étions à l'entrée du Clusot. Les nuages étaient maintenant sur la ville. Il tomba quelques gouttes.

Je stoppai pour attendre le peloton. Le vent de la route avait enfin décroché le taon.

« On reboit un verre? proposa Cordélia.

— Trop tard. La bataille va commencer.

— Pourquoi ne suivez-vous pas les premiers? » demanda Marie-Jeanne.

L'orage creva dans un grand fracas de tonnerre. La pluie grossit d'un seul coup. Un groupe de coureurs apparut.

Le peloton venait d'éclater. Les deux meilleurs Lyonnais, le Grenoblois et cinq hommes passèrent à quarante-cinq à l'heure. Cordélia eut à peine le temps de relever les numéros. Six

voitures collaient à eux, soulevant des gerbes
d'eau. Paul Morel nous cria au passage quelque
chose que nous ne comprîmes pas.

Vingt coureurs suivaient à cinq cents mètres,
mais moins vite. Au milieu d'eux, Lenoir récu-
pérait, avant l'assaut des treize lacets, l'effort
qu'il avait fait pour rejoindre le peloton.

Je démarrai à leur suite, accélérai et passai
tout le monde dans la longue traversée du
Clusot. Nous rattrapâmes Busard au troisième
lacet.

Il avait rejoint le Bressan. Les deux garçons
conservaient quatre minutes d'avance sur la
tête du peloton disloqué. Ils grimpaient roue
dans roue, le Bressan menait. La montagne se
dressait verticalement devant nous. La route
s'élevait parmi les prairies. Le rideau de pluie
était devenu si épais, que nous ne distinguions
pas les lacets de la route au-dessus de nous.
Busard et le Bressan ne roulaient plus qu'à
quinze à l'heure.

Au quatrième lacet, leur allure ralentit encore. Les cheveux du Bressan, débouclés par la
pluie, lui collaient au front. Il balançait la tête
d'arrière en avant, comme pour cogner du front
contre le rideau de pluie.

« Un bouvillon », dit Cordélia.

Le travail des jambes devint désordonné.

Busard cria quelque chose au Bressan, qui fit signe qu'il refusait.

« Busard, criai-je, laisse-le mener. C'est un idiot. »

Le lecteur, même s'il n'est jamais monté sur un vélo, devine que de deux cyclistes qui roulent de concert, celui qui tient la tête fatigue le plus. La même loi d'aérodynamique conditionne le vol des canards sauvages. Le Bressan n'avait pas seulement l'air à fendre pour deux, mais aussi la pluie.

Busard lui parla de nouveau, puis passa devant. Le travail des jambes du Bressan redevint régulier. La route s'engagea dans un bois de sapins centenaires qui coupaient la pluie. Les deux garçons retrouvèrent le quinze à l'heure.

Au septième lacet, le Bressan creva. Busard mit pied à terre pour l'attendre. Le Bressan, accroupi, les mains aux papillons de la roue, leva vers lui un regard surpris. Busard haussa les épaules.

Nous avions stoppé. On n'entendait que le bruit de la pluie qui cinglait la route et la voiture.

« Pourquoi attend-il? me demanda Marie-Jeanne.

— C'est aussi son intérêt.

— Vite! » cria Busard au Bressan.

Cordélia tenait le chronomètre.

« Une minute », murmura-t-elle.

Busard se tourna vers nous et sourit.

« Ça va! » criai-je.

Il chercha le regard de Marie-Jeanne.

« Vous êtes le meilleur, cria Marie-Jeanne.

— Je suis en pleine *forme!* » cria-t-il.

Un éclair fulgura entre les grands sapins et le tonnerre claqua aussitôt. La pluie redoubla. Le Bressan accroupi souleva son vélo à deux mains et sans se relever, fit un saut de grenouille pour se mettre à l'abri de la voiture.

Busard se tenait immobile dans les grandes rafales de pluie qui lui collaient le maillot aux os.

« Il est comme un arbre, dit Cordélia.

— C'est un homme! dis-je à Marie-Jeanne.

— C'est l'oiseau des tempêtes », dit Cordélia.

Le Bressan gonflait le pneu. Il leva la tête vers Busard.

« Laisse-moi gagner la prime au col », dit-il.

La prime sur la ligne blanche du col, au deuxième tour, est la plus importante de la course : cinq mille francs offerts par les Etablissements Plastoform, Morel père et fils.

« C'est juste, dit le Bressan. J'ai toujours été le premier. »

Busard le regardait, drapé dans les rafales.

« Je l'ai mérité! » cria le Bressan.

Busard fit une grimace et cracha.

« Deux minutes! cria Cordélia.

— Corniaud, gronda Busard. Dépêche-toi ou je te plaque. »

Le motocycliste qui précède la course avait pris de l'avance dès le début de l'orage. Il attendait au col, où il s'était mis à l'abri dans une voiture. Nous étions seuls dans la tempête, tous les cinq, au milieu des grands sapins.

Les grosses mains du Bressan étaient maladroites dans la pluie. La réparation prit deux minutes quarante secondes.

Busard se souleva sur la pédale pour démarrer.

« Je suis plus frais qu'au départ », cria-t-il.

Il partit sec, suivi du Bressan, roue dans la roue.

« Ils n'ont plus qu'une minute dix d'avance, dit Cordélia.

— Moins encore, dis-je... Sûr que les leaders forcent dans la montée... On va bien voir... »

Je n'avais pas démarré. Cordélia chronométrait.

« Trente secondes, dit Cordélia.

— Sans l'orage, dis-je, nous entendrions déjà les voitures d'accompagnement. Les premiers doivent être juste au-dessous de nous, dans le sixième lacet.

— Une minute, dit solennellement Cordélia.

— Vous voyez bien, dit Marie-Jeanne, ils ne sont pas encore là. »

Son visage s'était animé.

« Vous tenez vraiment à attendre les autres? demanda-t-elle.

— Une minute et trente secondes, proclama Cordélia.

— Il est tout seul dans l'orage, dit Marie-Jeanne.

— Il a son corniaud de Bressan », dis-je.

Mais je démarrai et rattrapai les deux garçons.

Marie-Jeanne avait mis la tête à la portière. La pluie effrangeait les trois plis de sa coiffure.

Le Bressan menait. Il avait mis le plus petit braquet. Court sur pattes, la selle basse, le nez collé au guidon, les épaules plus larges que le guidon, la nuque comme un taureau, il pédalait rageusement. On aurait cru un trépignement sur place.

Collé à sa roue, Busard suivait avec aisance.

Sauf dans les tournants, où la pente se raidit, il
gardait un braquet moyen. Ainsi, le mouvement
des jambes plus longues, pour une vitesse égale
plus lent, le faisait paraître encore davantage à
l'aise. Son visage anguleux, au nez busqué, des-
sinait comme une étrave au-dessus du dos râblé
du Bressan.

Je me tenais à leur hauteur, attentif aux virages. Cordélia ne quittait plus de l'œil le compteur de la voiture.

« Vingt-deux à l'heure, dit-elle.

— Gloire aux innocents!

— C'est bien? demanda Marie-Jeanne.

— Vous ne voyez pas la route? Vous avez
déjà grimpé une pente comme ça à bicyclette? »

Des professionnels, des as, des champions ne
feraient pas mieux.

« Busard a tellement envie de passer professionnel!

— Pour l'instant, c'est le Bressan qui fait
tout le travail. »

Au deuxième lacet, la route sortit de la forêt.
La pluie cessa soudain. L'orage s'éloignait rapidement, aspiré par la vallée de la Géline. Les
crêtes devant nous se dégagèrent des nuages.

La pente devint moins raide. Les trois derniers lacets, beaucoup moins fermés que les

précédents, remontent le cours d'un jeune torrent, encore ruisselet, qui joue au ras des prairies, à la sortie de sa source.

L'air sentait bon l'herbe mouillée, la terre chaude. De grosses gouttes d'eau coulaient lentement sur les feuilles des grandes gentianes.

Busard mit les mains en haut du guidon, se redressa et renversa la tête, comme pour prendre le vent. Puis il passa sur le grand braquet et doubla aisément le Bressan. Il prit son vol. L'autre passa à son tour sur le grand braquet, mais il peina terriblement. Il dut rétrograder, coup sur coup, jusqu'à l'avant-dernier braquet; il s'énervait; le dérailleur grinça. En moins d'une minute, Busard gagna deux cents mètres sur le paysan.

« Ce n'est pas chic, dit Cordélia. Le petit a fait tout le travail.

— Busard a raison. L'autre pleure après la prime. Je hais la cupidité.

— Il a peut-être vraiment besoin de cette prime, dit Cordélia.

— C'est un étron, dis-je violemment.

— Je suis bien contente que Busard n'ait pas tort, dit Marie-Jeanne.

— Tu ne comprends rien au sport, dis-je à Cordélia.

— Les fascistes parlaient comme cela », dit-elle.

Nous commencions d'être vraiment dans la course. J'adore cela.

Je suivais Busard qui continuait de pédaler, les mains en haut du guidon, le buste droit. La lumière frisante de la crête l'enveloppa de la tête à la taille. Il poussait ferme, mais en gardant le souffle lent. La route courait parmi l'herbe rase des sommets. Il n'y avait plus d'arbres qu'au-dessous de nous. Le col, qu'on voyait, était à moins de quinze cents mètres. J'imaginais l'exaltation de Busard et je l'enviais.

Il passa le col au milieu des applaudissements, puis il piqua, tête baissée, dans la descente vers Bionnas, par la belle route de Saint-Claude. J'avais stoppé un peu avant la ligne blanche.

Le Bressan suivit à cinquante secondes. Il continuait de pédaler court.

« Change de braquet », lui cria Cordélia.

Il obéit, s'y prit mal et sa chaîne sauta. Pendant qu'il la remplaçait :

« C'est de votre faute, cria-t-il à Cordélia. Vous êtes pour l'autre. »

Des rires fusèrent de la foule.

« On ne peut pas être plus bête, grogna Cordélia.

— Elle préfère les grands, dit quelqu'un.

— Mets des rallonges!

— Ils aident l'autre, cria le Bressan. C'est moi qui méritais la prime. »

Des plaisanteries jaillirent de toutes parts. Même ceux qui n'avaient pas entendu rigolaient.

Le Bressan jeta un regard mauvais sur la foule et baissa la tête, comme s'il allait foncer.

« Tu perds ton avance! » cria Cordélia.

Il sauta sur son vélo et se lança dans la descente.

Un premier groupe passa le col, trois minutes vingt secondes après Busard, qui avait donc repris entre le septième et le dernier lacet une partie de l'avance perdue à cause de la crevaison du Bressan. Les coureurs expérimentés avaient été davantage ralentis par l'orage que les deux garçons, moins conscients de l'effort supplémentaire imposé par le rideau de pluie et de l'excuse ainsi fournie à soi-même de mettre moins de fougue à l'ascension.

Le groupe comprenait les deux Lyonnais, maillots verts, Lenoir, qui avait rejoint dans la montée, maillot rouge, le Grenoblois, maillot bleu ciel, et trois autres, en tout sept hommes, les meilleurs.

Ils passèrent groupés, allant grand train, sans jeter un regard sur la foule. La Vedette qui les suivait stoppa près de nous.

« Busard et le 8, criai-je, ont pris près de quatre minutes.

— Champions, les mômes! dit Jambe d'Argent.

— Hourra pour Busard! cria Juliette Doucet.

— Rien dans la tête, dit Paul Morel.

— Mais ils en ont dans les jambes », cria Cordélia.

Ses yeux flambaient de colère.

« Heureusement que nous sommes là pour suivre votre poulain, dis-je à Paul Morel.

— Amusez-vous bien, dit-il.

— D'habitude, cria Cordélia, la voiture du club colle au meilleur de ses coureurs.

— Je colle à Lenoir, dit Paul Morel.

— Le meilleur, c'est celui qui est en tête, dit Cordélia.

— Hourra pour Busard! cria Juliette.

— Je ne perds pas mon temps avec des toquards, dit Paul Morel.

— La course n'a pas encore commencé », dit Jambe d'Argent.

Morel embraya et s'engagea dans la descente vers Bionnas.

« Hourra pour Busard! » nous cria de loin Juliette.

La Vedette disparut dans la première courbe.

« C'est bien ce que je pensais, dit Marie-Jeanne.

— Qu'est-ce que vous pensiez?

— Que Bernard n'a aucune chance de gagner.

— Il a quatre minutes d'avance, dit vivement Cordélia. Qu'est-ce que vous voulez de plus?

— Maintenant, dis-je, il peut gagner. »

Marie-Jeanne secoua la tête.

Les autres coureurs arrivèrent au col par groupes de deux ou trois, durant les vingt minutes qui suivirent. Ils étaient désormais hors jeu et ne continuaient plus que pour l'honneur. Il y avait eu de nombreux abandons pendant l'orage. Il ne restait plus que trente hommes en course, au lieu de cinquante-deux au départ.

Au début du troisième tour, qui se court dans le même sens que le premier, de Bionnas au col de la Croix-Rousse par la route de Saint-Claude, les principaux écarts restaient les mêmes. Mais le Bressan avait rejoint Busard dans la *petite boucle;* il semblait avoir compris une des règles du jeu et laissait l'autre mener aussi souvent qu'il le voulait bien.

Busard ne peinait pas. Je commençais à pen-

ser sérieusement qu'il pouvait gagner. Le plus
dur lui sera sans doute de triompher du Bressan
au sprint.

Busard était *en forme*. *La forme* des sportifs :
c'est un sens nouveau qu'ils ont ajouté aux
vingt-cinq acceptions du mot signalées par
Littré. Celle qui s'en approche le plus est la
quatorzième : « La forme d'un argument, la
manière bonne ou mauvaise dont les parties d'un
argument sont disposées. En forme, conformé-
ment à la manière dont l'argument doit être
disposé pour qu'il soit selon les règles. » Le coureur *en forme* est dans les règles pour gagner.
Mais l'expression est bien plus riche de significa-
cations. La forme s'oppose à la matière, au sens
où l'athlète sent la matière comme un poids qui
freine la performance : pour que l'athlète soit
en forme, il faut que la graisse, la lymphe, tout
ce qui alourdit, se soit transformé en nerfs et
en muscles, que la matière soit devenue forme.
L'athlète parfait s'imagine flamme se consumant
dans la performance sans laisser de cendres.

C'était à quoi je pensais en suivant à quarante
à l'heure Busard et le Bressan, dans leur troisième et dernière ascension du col de la Croix-
Rousse. Cordélia et Marie-Jeanne récupéraient
en silence la fatigue causée par les émotions du

deuxième tour. Marie-Jeanne, dans sa glace de poche, essayait de reconstituer les crans de sa coiffure.

Pour l'écrivain aussi, quand il a atteint la maturité et quand il a quelque chose à dire, la *forme* devient la préoccupation essentielle. La page d'écriture sera bonne ou mauvaise, selon qu'il se sera senti ou non *en forme* en s'asseyant à sa table de travail.

L'écrivain arrivé à maturité a résolu ou surmonté ses conflits intérieurs; ses problèmes sont devenus ceux de l'humanité de son temps; il ne lui reste plus comme problèmes personnels que ceux de la diététique; ainsi tend-il à retrouver l'innocence du sportif qui ne pense qu'à sa *forme,* qui ne parle que d'elle et qui, à l'approche des grandes épreuves s'impose pour l'amour d'elle, sobriété et chasteté.

C'est peut-être pourquoi j'éprouve tant de fraternelle tendresse pour les jeunes héros des stades, du ring et de la route. Quand Busard avait franchi la ligne blanche du col, j'avais vu dans son visage, dans le rejet de sa tête en arrière, qu'il éprouvait la même allégresse que lorsque je viens d'achever un chapitre dont je suis content.

J'étais en train de penser que *la forme* est

également l'essentiel pour l'orateur, l'acteur, le peintre, le général d'armée, tous ceux pour qui l'exécution d'un travail est une création toujours nouvelle et dont l'issue n'est jamais sûre. « Serai-je *en forme* ce soir? » voilà leur obsession. A un moment donné de la bataille de la Marne, le plus important pour toute l'armée française fut que Joffre dormît, afin qu'il se trouvât *en forme* au moment de la décision capitale à prendre. A ce moment je m'aperçus que le Bressan donnait des signes de fatigue. Le visage avait viré au rouge. Le travail des jambes redevenait désordonné. Deux fois, il décolla de la roue de Busard et ne le rattrapa qu'en zigzaguant. Le col n'était plus qu'à deux kilomètres.

Busard se retourna à plusieurs reprises. Nous le devinions perplexe.

Un sueur abondante ruissela sur le visage du Bressan; les avant-bras commencèrent à trembler.

Busard jeta vers moi un regard interrogateur.

« Le *coup de pompe* », criai-je.

Busard accéléra légèrement.

Le Bressan zigzagua, redressa, rentra dans sa roue. Mais son visage devint brusquement blanc.

« Il se vide, dis-je.

— Busard ne va pas le lâcher! s'écria Cordélia.

— Il doit.

— Je hais les courses, dit Cordélia. Je ne suivrai plus jamais une course. »

Busard décolla et prit rapidement plusieurs dizaines de mètres.

« Je vous déteste tous », dit Cordélia.

Le Bressan alla plusieurs fois d'un bord à l'autre de la route. Il passa sur un plus petit braquet et parut retrouver un peu d'aisance. Puis il roula sur une centaine de mètres, de plus en plus lentement. Puis il mit pied à terre. Je stoppai à sa hauteur.

Cordélia tendit le Thermos que nous avions emmené à tout hasard.

« Qu'est-ce que c'est? demanda-t-il.

— Du thé.

— Vous n'auriez pas plutôt de la gnôle? »

Nous avions aussi de la gnôle.

— Ça va t'achever, dit Cordélia.

— Donne-lui, dis-je. Ça n'a plus d'importance. »

Le Bressan but un coup de gnôle. Son visage redevint rose. Il ébaucha un sourire.

« Tu es le plus costaud de tous, dit Cordélia.

— Oui », dit-il.

Les mains en haut du guidon, il courut
quelques enjambées pour prendre de l'élan. Il
a les jambes étonnamment courtes. Il s'arrêta
avant d'avoir sauté en selle. Il courut encore
trois enjambées, plus lentes, et s'arrêta de nouveau. Le maillot blanc, mal ajusté, le faisait
paraître étrangement déshabillé. Il secoua plusieurs fois la tête, bouche ouverte. Il prit profondément souffle et resta un moment stricte-
ment immobile. Puis il secoua de nouveau la
tête, saisit le vélo et le jeta violemment contre
le talus. Il fit quelques pas en titubant, et
s'écroula sur le talus, près du vélo.

Cordélia descendit et lui tendit la gnôle. Il
but avidement et se retourna, le ventre contre
le talus. Cordélia attendit un moment, puis
essaya de le soulever par l'épaule. Il retomba
sur place.

« Qu'est-ce qu'il a? demanda Cordélia.

— Laisse-le dormir.

— Il est peut-être malade?

— Monte, criai-je. Nous ne rattraperons jamais Busard. Il est en train de descendre à
soixante-dix à l'heure sur Le Clusot. »

Elle remonta dans la voiture. Je claquai la
portière.

Juste avant d'atteindre le col, la route décrit

une courbe dans les prairies. Du haut du demi-
cercle, on le voit tout entier au-dessous de soi.
Cordélia se pencha à la portière.

« Il est reparti », dit-elle.

Je ralentis et jetai un coup d'œil. Quelque
chose de blanc zigzaguait sur la route, quinze
cents mètres derrière et au-dessous de nous.

« Il a du cœur? dit Cordélia.

— Comme un bœuf de labour. »

Je fonçai dans la descente, mais nous ne re-
trouvâmes le maillot rouge de Busard qu'au
bout de la ligne droite, entre le dernier des
treize lacets et l'entrée du Cluzot. Il allait grand
train, sur le plus grand braquet.

Vingt kilomètres sans difficultés jusqu'à l'entrée de Bionnas, les dix kilomètres de la *petite
boucle,* quarante-cinq minutes si tout allait bien,
et ce serait la ligne d'arrivée, sur le stade. Nous
fûmes tous trois saisis par l'excitation de la victoire maintenant toute proche de notre jeune
ami.

Aux abords du Clusot, la foule était nom-
breuse sur les deux côtés de la route. On applau-
dissait Busard, parce qu'il était le premier, puis
on cherchait sur le journal local à quel nom
correspondait son numéro.

Le pavé commença avec les premières maisons. Busard serra sur la droite pour suivre une bande goudronnée qui recouvrait les rails d'un ancien chemin de fer *d'intérêt local.*

Un gosse s'avança pour voir arriver le coureur. Une femme se précipita pour le tirer en arrière. Busard arrivait sur eux à quarante-cinq à l'heure.

Il fit un écart pour les éviter. Les roues glissèrent sur le pavé mouillé, en bordure du goudron. Le vélo se coucha. Busard passa par-dessus le guidon et plongea sur le pavé, les bras en avant.

Je stoppai à quelques mètres.

« Chronomètre, dis-je à Cordélia. Ne descends surtout pas... »

Marie-Jeanne et moi nous nous précipitâmes vers Busard. Il s'était déjà relevé. La cuisse gauche saignait abondamment. Le nez saignait aussi.

Busard se passa la main sur les lèvres et regarda le sang sur le dos de la main.

« Ce n'est rien », dit-il.

Je tournai les yeux vers Cordélia.

« Quarante secondes », dit-elle.

Je nettoyai la cuisse avec un mouchoir. L'entaille était profonde. Il faudrait des points de suture.

« Je continue, dit Busard.

— Essaie, dis-je.

— Il faut le mener à l'hôpital, dit Marie-Jeanne.

— Il sera toujours temps s'il ne peut continuer. »

Je regardai de nouveau vers Cordélia.

« Deux minutes », dit-elle

Busard se mit en selle. Deux jeunes gens le lancèrent. Il démarra.

Il fallut traverser tout Le Clusot. Le pavé n'en finissait plus. Busard peinait. De la foule montait toujours les mêmes mots : « il saigne... il saigne... » Répété sur des timbres différents : « il saigne... il saigne... il saigne... » cela sonnait au passage comme les clochettes d'un carillon. Marie-Jeanne se mordait les lèvres. Cordélia se murmurait à elle-même : « Forza Busard! Forza Busard! »

A la sortie de la ville, il retrouva un train régulier de quarante à l'heure. Je lui criai :

« J'arrête un moment pour mesurer l'écart, et puis je te rattrape.

— Soyez tranquille, cria Cordélia. On ne vous lâche pas. »

Je stoppai. Cordélia chronométra.

Le peloton n'était qu'à cinquante-cinq secondes. Les sept mêmes hommes qu'au deuxième passage du col. Le vent poussait et ils avançaient en éventail, sur toute la largeur de la route, comme une voile gonflée. Lenoir au centre, grand, l'air redoutable, pédalant sur son plus grand développement, ses jambes dessinant des pas de géant. Je pensai : « Ils arrivent, ils arrivent. Ce sont toujours les plus forts qui gagnent, les plus rusés, ceux qui ont le plus d'expérience, les plus intelligents, ceux qui savent triompher de leur nature. » Je ne disais rien.

Je démarrai avant qu'ils nous eussent rejoints. Le nez de Busard saignait de nouveau.

« Ne lui dis pas qu'ils arrivent, demanda Cordélia.

— Au contraire. Sa dernière chance est dans ses nerfs.

— Ils sont à cinquante-cinq secondes, criai-je à Busard.

— Un mouchoir », demanda Busard.

Marie-Jeanne lui passa son mouchoir ajouré par elle-même. Il s'essuya la bouche puis mit le mouchoir entre les dents. Il accéléra et passa à quarante-cinq à l'heure. Le sang coulait de la cuisse sur les jambes et sur les brodequins.

Il maintint le même train jusqu'à une grande

ligne droite, à deux kilomètres de Bionnas.
Alors, il commença de faiblir. Sa vitesse tomba
à quarante, à trente-cinq.

« J'ai soif, cria-t-il.

— Abandonne », cria Marie-Jeanne.

Il secoua la tête.

J'aperçus dans le rétroviseur le peloton qui
abordait à son tour la ligne droite, toujours déployé en éventail, sur toute la largeur de la
route, maillot rouge, maillot vert, maillot bleu
ciel, maillots noir et jaune, maillots bleu et
rouge, le peloton qui se rapprochait, majestueux,
inexorable.

« Les voilà », criai-je.

Busard tourna la tête et vit le peloton. Il lança
le Thermos dans le fossé et prit de la distance...
Je me maintenais à sa hauteur. Cordélia ne
quittait plus de l'œil le compteur et énonçait
les chiffres :

« Trente-huit... quarante... quarante-deux.

— Tu reprends de la distance, criai-je.

— Vas-y, fonce », criait Marie-Jeanne.

Je regardai dans le rétroviseur. L'éventail
derrière nous était en train d'éclater. Une pointe
se formait. Deux hommes se détachaient, roue
dans la roue, un maillot vert, un maillot rouge,
le Lyonnais et Lenoir.

Les autres perdaient sur nous. Ces deux-là gagnaient.

« Un Lyonnais et Lenoir viennent de s'échapper! » criai-je à Busard.

Il força encore. L'aiguille du compteur dépassa le quarante-cinq.

Il avait sué abondamment à la sortie du Clusot, quand il avait peiné pour retrouver son régime, puis quelques instants plus tôt, quand il avait faibli. Maintenant il était sec.

Je ne parviens pas à me rappeler son expression. Son visage n'exprimait sans doute plus rien. Au plus haut point de tension d'une bonne course, le cycliste dépasse l'état où l'on se sent *en forme* ou pas *en forme*. J'essayais d'imaginer ce que ressentait alors Busard, en fonction de souvenirs de guerre ou de passion. Busard traqué par des poursuivants, fuyant en avant comme le soldat à l'attaque sous le feu convergent de l'ennemi. La conscience se réduit à l'instant. Le cœur, l'intelligence, le muscle, ne font plus qu'un; c'est un des plus hauts degrés de fusion où parviennent, l'espace d'un moment, les facultés de l'homme.

Je regardai de nouveau dans le rétroviseur. Quelque chose de blanc avait surgi du fond de la ligne droite et s'avançait rapidement. L'éven-

tail creva de nouveau. Le maillot blanc en jail-
lit. C'était le Bressan qui revenait en bolide. Il
vint coller à Lenoir et au Lyonnais : maillot
rouge, maillot vert, maillot blanc.

La ligne droite s'achève au cœur de Bionnas. Busard vira à quarante-six à l'heure pour
prendre la *petite boucle*. Encore dix kilomètres,
avant la ligne d'arrivée sur le stade.

Sur le pavé, le train de Busard redescendit à
quarante à l'heure. Toute la ville était massée
sur les trottoirs. Le tintinabulement : « Il
saigne... il saigne... il saigne... » nous accompa-
gna de nouveau. La cuisse saignait de plus en
plus.

Dans la petite ligne droite du faubourg de
Sainte-Marie-des-Anges, je retrouvai les poursuivants dans le rétroviseur. Ils n'étaient plus qu'à
trois cents mètres.

« Ils arrivent », criai-je à Busard.

Le compteur remonta à quarante-quatre.

La dernière difficulté sérieuse était le raidillon pavé de la vieille ville, pente à 15 pour 100.

Busard eut une défaillance à trente mètres
du sommet. Il avait monté assez vite. Il s'arrêta
sur l'espace de quatre tours de pédales et mit
pied à terre. Il se tourna vers nous :

« Je ne peux plus! » dit-il.

Je levai l'œil vers le rétroviseur. Le maillot rouge, le maillot vert, le maillot blanc apparaissaient au bas du raidillon.

« Les voilà! » criai-je.

Busard se mit à courir, en poussant son vélo. Il trébucha plusieurs fois. Le vélo tomba, il le reprit en main. Il parcourut ainsi les trente derniers mètres du raidillon. Il laissa une traînée de sang derrière lui.

Au sommet, il se remit en selle. Nous nous trouvions exactement à sa hauteur. Depuis Le Clusot, Marie-Jeanne était restée à la portière.

Busard tourna la tête vers Marie-Jeanne.

« C'est pour vous », cria-t-il.

Il se lança dans la descente vers la ville neuve. Le stade n'était plus qu'à deux kilomètres.

La descente à travers la vieille ville se fait par des rues étroites, sinueuses, à pente rapide. Je perdis de vue Busard. Je fus dépassé par Lenoir, le Lyonnais et le Bressan. Je ne les retrouvai que sur la Promenade, à huit cents mètres du stade. Busard gardait cent cinquante mètres d'avance. Lenoir menait la poursuite.

Busard tomba en prenant le tournant à angle droit du chemin qui mène au stade. La tête porta sur la chaussée. Il se releva aussitôt. Le front était ouvert et le sang coulait sur les yeux.

Il se remit en selle. Des jeunes gens s'étaient précipités et le lancèrent.

Les poursuivants n'étaient plus qu'à quelques mètres.

Busard pénétra le premier sur la piste, avec vingt mètres d'avance.

La foule criait :

« Lenoir!.. Lenoir! », parce que c'est lui qui d'ordinaire fait triompher les couleurs de Bionnas.

Au sprint, le Bressan passa tout le monde et franchit le premier la ligne d'arrivée. Lenoir et le Lyonnais suivirent à deux roues. Busard arriva quatrième, à dix mètres.

Juliette Doucet, qui se trouvait près de la ligne d'arrivée remit au Bressan le bouquet du vainqueur.

Le Bressan fit le tour de la piste, sous les applaudissements.

« Hourra! pour le Bressan », criait Juliette Doucet.

Je conduisis Busard à la clinique, où l'on fit des points de suture à ses blessures qui n'avaient pas de gravité.

II

LE lendemain, Marie-Jeanne et Cordélia allèrent ensemble voir Busard à la clinique. Il devait sortir dans la soirée, après un dernier pansement. Cordélia raccompagna Marie-Jeanne chez elle, à la Cité Morel.

« Vous entrerez bien? » demanda Marie-Jeanne.

Elles s'assirent de chaque côté de la table, placée au centre de la pièce et couverte d'une toile cirée à carreaux. Elles parlèrent d'abord des travaux à quoi se consacraient Marie-Jeanne et sa mère.

La plupart des femmes de Bionnas vivent des industries de la matière plastique. La majorité comme ouvrières, les autres comme épouses ou maîtresses des patrons. La mère de Marie-Jeanne, à Plastoform, assemblait huit heures par jour et quelquefois dix ou douze, les deux pièces, l'une vert tendre, l'autre vert bouteille, d'un pot à eau incassable, indéformable et qui

rebondissait comme une balle quand on le lan-
çait sur le plancher; Marie-Jeanne montra cela
à Cordélia; puis elle parla des colles utilisées
pour l'assemblage.

« Le benzol, dit-elle, l'acétone, ce sont des
poisons... »

Les ouvrières de l'atelier de sa mère avaient
des éruptions soudaines d'un eczéma qui laissait
après lui la peau plombée. Peu de temps après
la mise en usage d'un nouveau produit, plusieurs femmes avaient commencé de perdre leurs
dents.

« Très peu pour moi », dit Marie-Jeanne.

Sa voix avait perdu des inflexions tendres,
comme pendant la course, quand elle avait dit :
« Je suis contente que Busard n'ait pas tort »,
ou même quand elle avait demandé à Cordélia :
« Vous entrerez bien? », puis soudain devenait
sèche, dure, comme pour ce « très peu pour
moi », qui cassa net sur le « moi », comme une
branche morte.

Elle s'était obstinée à devenir et à rester lingère, dans une ville sans traditions où les
femmes portent des combinaisons en indémail-
lable et des culottes de nylon. Elle ne chômait
pas, quelques épouses d'artisans, devenus industriels depuis l'invention de la presse à injecter

et brusquement enrichis, ayant été persuadées par la lecture de *Plaisirs de France,* que les dessous fait main prouvent le sens de la qualité. Les *jours* de Marie-Jeanne lui avaient fait une réputation. Elle raconta cela et fit en détail le compte de ce qu'elle gagnait.

C'est la bourgeoisie qui a fait de l'argent une chose sacrée qui exige le mystère, analogue aux menstruations auxquelles on pense tout le temps et dont on ne parle jamais. Marie-Jeanne avait le naturel qui n'est plus l'apanage que du peuple. Dès cette première rencontre elle parla à Cordélia, le plus naturellement du monde, de son salaire et de son ventre.

Sur la base du temps exigé par chaque pièce de lingerie, elle estimait gagner autour de cent francs de l'heure, ce qui était à peine moins que ce qu'elle aurait été payée à l'usine. Elle travaillait environ dix heures par jour, mais il fallait déduire les dimanches et les lundis qui suivaient les dimanches où elle était restée trop longtemps au bal. Enfin, elle se faisait dans les vingt-cinq mille francs par mois. Sa mère en rapportait autant à la maison. Les deux femmes vivaient seules, le père ayant été tué par une presse à celluloïd qui lui avait basculé sur la tête.

« Nous ne nous privons pas », dit-elle.

Elles avaient même quelques économies.

« On va bien prendre une cerise?

— Mais oui », dit Cordélia.

Marie-Jeanne posa sur la table un napperon brodé, et sur le napperon un plateau de métal bleu pâle, et sur le plateau les verres à liqueur, à peine plus grands que des dés.

Elle alla chercher le bocal de cerises à l'eau-de-vie dans la cuisine. Le baraquement est partagé en trois pièces, la chambre de Marie-Jeanne, celle de sa mère et la cuisine entre les deux. On entre par la cuisine.

Elle servit les cerises avec une cuiller. Il n'en tenait pas plus de trois par verre.

Un peu plus tard elle proposera :

« Vous reprendrez bien une cerise?

— Pourquoi ne vous mariez-vous pas avec Busard? » demanda Cordélia.

Marie-Jeanne rit.

« Il serait bien trop content, dit-elle.

— Vous ne l'aimez pas?

— Peut-être.

— Et s'il ne venait plus vous voir?

— Je m'ennuierais.

— Est-il votre ami? demanda Cordélia.

— Non », dit Marie-Jeanne.

Elle regarda Cordélia.

« J'ai eu des amis », dit-elle.

Elle resta un moment silencieuse.

« Les hommes sont égoïstes », dit-elle.

Cordélia attendait.

« Les jeunes gens, dit encore Marie-Jeanne, ce qu'ils aiment, c'est pouvoir se vanter.

— Mais les moins jeunes? demanda Cordélia.

— Ceux-là, dit Marie-Jeanne, ils essaient tout de suite de vous toucher. Ils vous tutoient... » Sa voix s'anima.

« On leur dit : « Est-ce que je vous ai auto-« risé de me tutoyer? » Ils répondent :

« Ne fais pas la sainte nitouche... Tout le « monde sait bien que tu n'es pas aussi sage « que tu veux le faire croire. » Est-ce que ça les regarde, si j'ai des amis?

« Pour ce que cela a duré, ajouta-t-elle.

— Busard vous aime, dit Cordélia. Ça se voit.

— Oui? » demanda Marie-Jeanne.

Elle ajouta aussitôt :

« C'est vrai. Il m'aime. »

Elle n'en raconta pas davantage ce jour-là. Mais Cordélia retourna souvent la voir, au cours des semaines qui suivirent. Je suppose qu'elle était fascinée d'entendre Marie-Jeanne parler

des hommes comme le lièvre pourrait parler des
chasseurs et des chiens; se tenir sur ses gardes,
semblait lui être aussi naturel que le réflexe qui
contracte la pupille quand la lumière devient
plus vive; elle n'ignorait pas non plus les feintes
qui permettent à la bête traquée de conduire
le chasseur là où elle veut; mais elle était per-
suadée que ce sont toujours les femmes (et les
lièvres) qui finissent par perdre à ce jeu-là. Elle
exprimait tout cela dans des aphorismes qu'elle
ne paraissait jamais mettre en doute. L'esclave
croit éternelle la triste sagesse que lui ont ensei-
gnée des siècles de cohabitation avec le maître.

Cordélia arrivait au début de l'après-midi,
avec de gros bonbons fourrés à la liqueur.
Marie-Jeanne poussait le bonbon tout entier
dans sa bouche, l'écrasait lentement, fermait les
yeux, et le maintenait longtemps avec la langue
contre le palais, pour exprimer toute la saveur
du chocolat mêlé à la liqueur. Puis elle souriait
à Cordélia :

« Ce que je suis gourmande! » disait-elle.

Cordélia s'asseyait et allumait une cigarette.
Les deux jeunes femmes commençaient à se
raconter leur passé, leur présent et leur avenir.
Le soir, Cordélia me répétait les confidences de
son amie. Ce fut ainsi que je pus reconstituer

tout ce qui se passa au cours de la première
visite que Busard fit à Marie-Jeanne, après le
Circuit de Bionnas.

Marie-Jeanne autorisait Busard à passer chez
elle les soirées du mardi et du jeudi. Il cachait
son vélo derrière le massif d'hortensias, entre le
baraquement et la route de Saint-Claude. Il
entrait par la porte et, vers minuit et quelquefois vers deux heures ou trois heures du matin,
sortait par la fenêtre, qu'il n'y avait qu'à enjam-
ber.

Ils échangeaient des baisers, il lui caressait les
seins.

« Et encore? demanda un jour Cordélia.

— Il me serre contre lui, il se presse contre
moi.

— Tu ne lui rends jamais ses caresses?

— Il faudrait bien voir cela! » protesta Marie-
Jeanne.

Elle rit pour montrer qu'elle n'est pas
bégueule. Puis elle rougit, parce qu'elle venait
d'imaginer les gestes.

« Sacrée Cordélia! » dit-elle.

Cordélia me fit l'éloge de l'exquise retenue de
son amie.

« Tu crois qu'elle ne te cache rien?

— Pourquoi me mentirait-elle? Je ne suis pas

un homme. Je ne lui parle pas d'amour pour mon compte. »

Une autre fois, Cordélia demanda à Marie-Jeanne pourquoi elle ne recevait pas Busard plus souvent.

« Et quand donc dormirai-je? » protesta Marie-Jeanne.

Elle piqua l'aiguille dans le linon qu'elle était en train d'ajourer et compta sur ses doigts :

« ... le vendredi je me couche tôt, parce que je sais que le samedi j'irai au cinéma et le dimanche au bal... le lundi, parce que c'est le lendemain du dimanche... le mercredi, parce que Busard est resté tard la veille... tu vois bien qu'il ne peut pas venir plus souvent.

— Tu ne penses qu'à toi, dit Cordélia.

— C'est vrai, dit Marie-Jeanne. Moi aussi...

— Tout comme un homme...

— Je n'y avais pas réfléchi. »

A son arrivée Busard avait droit aux lèvres de Marie-Jeanne. Elle se prêtait au baiser, mais ne le rendait pas.

Le mardi qui suivit le Circuit, il la retint contre lui pour un second baiser. Elle pensa qu'il estimait que son héroïsme pendant la course et sa blessure lui donnaient de nouveaux droits. Elle détourna la tête. Les lèvres du garçon s'attardèrent derrière l'oreille et sur la nuque. Elle se dégagea.

« Asseyez-vous, dit-elle.

— Vous êtes sans cœur », dit-il.

Elle eut un petit rire.

Elle fit le tour de la table, et s'assit sur la chaise de travail à haut dossier. Il esquissa le mouvement de la suivre.

« Non », dit-elle.

Busard rebroussa chemin et s'assit en face d'elle. Elle reprit l'ouvrage en train et se mit à broder. Telle était la règle qu'elle avait imposée pour le début de leurs soirées. Depuis dix-huit mois qu'ils se fréquentaient, sans qu'elle lui eût cédé aussi complètement qu'il ne cessait de le demander avec une ardeur qui n'avait pas diminué, un code s'était formé, qui réglementait leurs entrevues dans le moindre détail. Les rapports d'un être qui désire et d'un être qui se défend prennent le plus souvent un aspect juridique; certains cœurs, certains corps ne s'acquièrent qu'après d'interminables procès. Chaque nouvelle privauté coûtait à Busard plus de soins à obtenir qu'à des diplomates mûris dans la carrière, les modifications d'un traité international.

« Comment va ta jambe? » demanda-t-elle.

Quand ils étaient seuls, ils se disaient vous pour tout ce qui a rapport avec l'amour, mais se tutoyaient pour tout le reste. Cela faisait partie de leur code tacite.

« Ce n'est rien, dit Busard. Le docteur m'a passé à la radio. Je pourrai courir dimanche.

— Tu vas t'esquinter.

— Si vous m'aimiez, dit-il, vous verriez ce que je serais capable de faire. »

Elle portait une nouvelle blouse de piqué blanc, avec des revers légèrement empesés. Le trait de rouge aux lèvres répondait à la fraîcheur des joues. La coiffure en ondulations bien régulières, comme les tuiles d'un toit qui vient d'être achevé. Busard pensa à l'expression qui compare un visage à la façade d'une maison. Les yeux bleus comme des volets fraîchement peints.

« Comme vous êtes pimpante », dit-il.

Elle leva la tête vers lui :

« Vous me direz cela tout à l'heure. »

Tout à l'heure, c'était une fois son travail achevé, quand elle l'autorisera à s'étendre sur le lit, près d'elle. Il avait gagné cette faveur des fins de soirée au quatorzième mois de sa cour.

A l'idée de tout à l'heure, il sentit son ventre devenir lourd.

« Tout de suite! demanda-t-il.

— Non, dit-elle.

— Pourquoi? demanda-t-il.

— Parce que je ne veux pas.

— Petite garce », dit-il tendrement.

Elle sourit.

« Vous me demanderez pardon tout à l'heure.

— Oui, dit-il.

— Reparlons un peu de cette course », dit-elle.

Il resta un instant silencieux, pour reprendre son souffle.

« Le représentant d'Alcyon, commença-t-il, m'a remarqué. Paul Morel me l'a dit. Ils vont peut-être me proposer un contrat... »

Il développa les perspectives qui paraissaient s'ouvrir. D'autres avaient commencé comme lui. Quelques années plus tôt le grand Bobet courait encore les kermesses des villages bretons. Ce qui était certain : il tenait cette année la « grande forme ». S'il n'avait pas fait cette chute, malchance, il aurait gagné le Circuit. Et le Circuit est plus dur que bien des courses inscrites sur le calendrier national; il n'y a que les gens de Bionnas pour ne pas comprendre que c'est une pierre de touche. Devenu professionnel, il disposera de tout son temps pour s'entraîner. Il fera encore des progrès, énormément de progrès. Il n'est pas homme à faire toute sa carrière comme « domestique » des géants de la route. Il saura dire : voilà mes conditions, c'est à prendre ou à laisser; et au besoin s'échapper du peloton contre la volonté du directeur d'équipe, comme il l'a fait pendant le Circuit. Il faut s'imposer; Robic l'a bien prouvé pendant le Tour de France 1948. Un Jurassien n'en fait qu'à sa tête. On dira : le grand Jurassien Bernard Busard, Busard l'Indomptable... Un coureur gagne bien, surtout quand il joue les grands rôles. Il achètera une voiture, pas une Vedette comme Paul Morel, une Cadillac décapotable, carrosserie sport, pas de sièges arrière.

« Tu veux crâner tout seul au volant, dit Marie-Jeanne.

— Tu seras assise à côté de moi.

— Il y a longtemps que vous m'aurez oubliée.

— Voulez-vous qu'on se marie tout de suite?

— Si c'était la Cadillac qui me décidait, c'est le Bressan que j'épouserais.

— Vipère », dit-il tendrement.

Il se remit à parler de sa future gloire. Elle ne répondait que par des taquineries.

La course du dimanche, sa première grande course, avait convaincu Busard qu'il était ca-

pable de battre les meilleurs. Marie-Jeanne, au
contraire, en retenait surtout l'image du peloton,
déployé en éventail sur la route du Clusot,
comme gonflé par le vent, lancé à la poursuite
du jeune coureur et gagnant du terrain à chaque
tour de roue; le maillot rouge, le maillot vert,
le maillot blanc qui s'approchaient inexorable-
ment; le grand Lenoir, debout sur les pédales, le
visage en proue, l'œil tranquille et dur, comme
s'il avait déjà marqué le lieu de la deuxième
chute de Busard, celle qui allait assurer sa victoire. Ce sont toujours les plus forts qui gagnent;
elle y croyait aussi fermement qu'à l'ingratitude
fondamentale des hommes. A cette lumière, elle
revoyait Busard et le Bressan échappés du peloton, analogues à des enfants qui lancent leurs
billes sur un jeu de boules où des adultes sont
en train de calculer leurs coups : je tire, tu
pointes. Cela ne pouvait que mal finir. Même la
victoire du Bressan ne la convainquait pas, tout
accidentelle à son idée; à la prochaine course, il
ne se relèvera pas du *coup de pompe*. Voilà à
quoi elle pensait, en tirant l'aiguille, pendant
que Busard lui décrivait son avenir de professionnel.

   Dix heures sonna. Elle se leva pour aller
chercher les cerises à l'eau-de-vie. Telle était

leur habitude. A onze heures, elle rangeait son ouvrage; c'est alors qu'il aura la permission de s'étendre près d'elle, sur le lit. Pendant qu'elle servait les cerises :

« Tu vois, répéta-t-il, j'ai eu raison de ne pas écouter Paul Morel, le représentant d'Alcyon ne m'aurait pas remarqué... »

Elle prit la tête du garçon entre les mains et ébouriffa les cheveux.

« Grand maladroit », dit-elle.

Il renversa la tête en arrière et lui offrit ses grands yeux sans secret.

« Tu me fais de la peine, dit-elle.

— Pourquoi? » demanda-t-il.

Elle lâcha la tête, prit une cerise et la poussa entre les lèvres du garçon.

« Tais-toi », dit-elle.

Il tendit la bouche vers elle, avec la cerise entre les lèvres. Elle reprit la tête entre ses mains et lui disputa la cerise, avec les dents. Elle a les incisives menues, bien alignées, coupantes comme une faucheuse le premier jour des fenaisons. Elle s'énerva. Elle s'assit sur les genoux du garçon, prit une autre cerise et la mit entre ses dents à elle.

« Prends », dit-elle.

Il la renversa dans son bras et se pencha sur

elle. Il n'arrivait pas à faire lâcher prise aux
dents serrées sur le noyau.

« Prends », souffla-t-elle.

Il s'affola.

« Viens », dit-il.

Un bras passé sous les épaules, l'autre sous
les genoux, il voulut l'emporter sur le lit. Elle
se redressa d'un coup de reins.

« Non », dit-elle.

Elle repassa de l'autre côté de la table.

« Allez-vous-en!

— Je vous demande pardon », dit-il.

Ils se tenaient face à face de chaque côté de
la table, elle, les mains posées à plat sur les lingeries auxquelles elle avait travaillé et qui mous-
saient. Elle avait rougi jusqu'au-dessous du cou,
dans l'entrebâillement du col du blouson. Elle
surgissait tout en flammes des lingeries blanches
et du blouson blanc.

« Comme vous êtes belle », dit Busard.

Elle sentit le regard du garçon sur sa gorge.

« Allez-vous-en, je vous en prie », dit-elle.

Il ne répondit pas, ne bougea pas.

« Vous ne voyez donc pas que je perds la
tête », dit-elle.

Elle fit le tour de la table et passa devant

lui. Il n'osa pas, à son passage, la prendre dans ses bras.

« Il fallait bien que cela arrive », dit-elle, la bouche maussade.

Elle se jeta sur le lit. Il s'allongea près d'elle. Il lui prit la bouche, elle lui rendait ses baisers. Il la caressa, elle se prêtait à ses mains. Il perdit contenance devant un si grand bonheur trop longtemps attendu; il se mit à parler.

« Je vous aime, Marie-Jeanne. »

A demi couché sur elle, il lui répétait qu'il l'aimait, en effleurant son visage de petits baisers rapides.

Il lui dit que les jours où elle ne lui permettait pas d'entrer, il se cachait derrière les hortensias et guettait sa fenêtre jusqu'à ce que la lumière s'éteignît. Qu'il lui arrivait de reprendre son vélo à minuit, à deux heures du matin, rien que pour passer devant chez elle. Que quand elle avait parlé du Bressan, et bien qu'il eût compris que c'était par plaisanterie, il avait eu envie de tuer le Bressan. Que depuis qu'il la connaissait, et bien qu'elle l'eût toujours repoussé, il n'avait pas approché une autre femme. Que tout ce qu'il attendait de la vie, c'était qu'elle l'autorisât de dormir chaque nuit près d'elle et de lui apporter chaque semaine son salaire. Pour

l'amour d'elle et si elle l'exigeait, il renoncera
même à la carrière de coureur.

« C'est donc vrai, répéta-t-il, que vous voulez
bien être à moi. ».

Busard n'est pas un séducteur. Il ne sut pas
profiter de l'occasion, et tandis qu'il parlait,
Marie-Jeanne se ressaisit. Elle le repoussa doucement.

« Restez tranquille. »

Il revint sur elle. Elle le repoussa plus fermement.

« Pourquoi? demanda-t-il.

— Je ne veux pas.

— Vous vouliez bien.

— Je ne veux plus. »

Il sauta du lit, marcha jusqu'au bout de la
pièce, revint vers elle.

« Vous êtes une méchante femme. »

Il a l'œil noir. Il avait le sourcil froncé. Il
paraissait très grand au-dessus d'elle.

Elle sauta prestement du lit, contourna le
garçon qui fit demi-tour sur place, sans la quitter
du regard, et alla posément jusque devant le
miroir rectangulaire, accroché au-dessus de la
table de toilette. Elle commença de remettre en
ordre sa coiffure.

Il la suivit, la prit par les épaules et l'obligea
à se retourner. Il lui saisit les poignets.

« Viens!

— Non. »

Elle secoua les poignets, qu'il lâcha.

Il alla jusqu'à la table, s'assit sur la chaise
où il avait passé la soirée en face d'elle, cacha
sa tête entre ses mains. Elle vit le dos osseux
secoué de sanglots. Elle alla s'asseoir en face de
lui sur la chaise à haut dossier.

« Bernard, dit-elle, il ne faudra plus venir. »

Il n'était pas onze heures. Il leur restait beaucoup de temps à consacrer aux arguties coutu-
mières aux amants et aux époux, heureux ou
malheureux : *tu as promis, je n'ai pas promis,
j'ai le droit, tu n'as pas le droit, je revendique
le droit,* et l'argument d'autorité qui clôt quelquefois le débat, prononcé par le plus fort, c'est-
à-dire pour employer leur langage, par celui
qui aime le moins : *je veux, je ne veux pas.* Je
ne m'étendrai plus là-dessus. J'en ai assez raconté
pour que le lecteur s'imagine le ton des dix-
huit premiers mois de leurs amours.

Mais un élément nouveau venait de survenir.
Marie-Jeanne avait failli céder et elle en avait
conclu : il ne faudra plus venir. Même si, comme
il était probable, elle levait finalement son in-

terdiction, elle se trouvait désormais obligée de s'expliquer davantage qu'elle ne l'aurait jamais fait.

Pourquoi résistait-elle à Busard avec une obstination qui eût fait la gloire d'une dévote, dans les siècles où l'on croyait que l'acte de chair engage le salut éternel? C'était ce que je ne parvenais pas à comprendre à travers ses confidences, répétées par Cordélia.

« Elle a peur qu'il lui fasse un gosse, dit Cordélia. Pas besoin d'être psychanalyste pour comprendre cela.

— En 1954, m'étonnai-je. Alors que les lycéennes savent prendre les précautions élémentaires...

— Marie-Jeanne n'est pas une lycéenne. »

Cordélia parut furieuse.

« Qui lui aurait appris ce que tes lycéennes prétendent savoir? Où se procurerait-elle ce qui est nécessaire? Qui le lui paiera? »

Marie-Jeanne avait avoué à Cordélia trois amis. Le dernier en date avait estimé contraire à son honneur viril de se gainer comme un vieux mari; c'est la seule précaution qu'on connaisse à Bionnas. Il était parti pour le régiment après l'avoir engrossée. L'avortement pratiqué par une commère avait mal tourné. Le chirurgien de

l'hôpital avait fait le curetage sans anesthésier
la jeune fille, pour la punir « d'avoir attenté à
sa santé ». Il y avait quatre ans de cela, et,
depuis lors, Marie-Jeanne était restée sage.

« L'amour libre aussi est un privilège! s'écria
Cordélia.

— Pourquoi ne se marie-t-elle pas avec Busard?

— Pourquoi se marierait-elle? »

Busard, à pédaler sur son tricyle, gagnait un
peu moins que Marie-Jeanne. Il habitait chez
ses parents. On ne trouve pas de logements à
Bionnas, dont la population s'est augmentée
aussi vite que se sont développées les industries
des matières plastiques, nées en 1936 en même
temps que la presse à injecter, passées au premier rang en moins de vingt ans. Un homme
dans la maison où vivaient paisiblement les deux
femmes, les exigences d'un mari, l'aisance rela-
tive diminuée à chaque grossesse, voilà ce que
le mariage apporterait à Marie-Jeanne.

« C'est payer trop cher d'avoir un garçon dans
son lit, conclut Cordélia.

— Elle ne l'aime pas.

— Est-ce qu'elle sait si elle l'aime? Elle
l'aimerait peut-être si elle était heureuse avec
lui. Il y a autant de sortes d'amours que de

conditions dans lesquelles se vit un amour. L'amour n'est pas un sacrement. Marie-Jeanne, par bonheur, n'a pas le tour d'esprit à la religion ou à la métaphysique.

— Pourquoi continue-t-elle de le recevoir?

— Elle a le droit de se distraire.

— Il souffre.

— Les hommes se plaignent toujours de cette souffrance-là... C'est moins douloureux que de faire une fausse-couche. »

Ce fut à peu près ce qu'en d'autres termes Marie-Jeanne essaya d'expliquer à Busard, dans la nuit du mardi qui suivit le dimanche du Circuit de Bionnas.

Le débat se prolongea fort tard.

« Demande-moi n'importe quoi, répétait Busard. De quoi ne suis-je pas capable pour te prouver mon amour?

— Soit, consentit finalement Marie-Jeanne. Trouve un vrai métier et une maison, et nous nous marierons.

— Ce n'est rien, s'écria Busard. Dès demain, je demanderai à Paul Morel de me faire entrer à l'usine. Quant à la maison...

— Non, coupa Marie-Jeanne. Je ne veux pas d'un mari qui travaille dans la matière plastique. »

Les ouvriers de la matière plastique se divisent en deux catégories. Les mécaniciens qui fabriquent les moules; c'est un métier de haute précision, dont Busard est trop vieux pour faire l'apprentissage tout en gagnant sa vie. Les travailleurs aux presses à injecter, simples manœuvres, qui arrivaient en 1954 à gagner 160 francs de l'heure dans les établissements où le syndicat était fort; mais ils resteront toute leur vie manœuvres.

« Quand je dis un vrai métier, reprit Marie-Jeanne, je ne parle pas du travail aux presses. »

Elle sait comme toutes les femmes de Bionnas, que l'homme qui a commencé à travailler à la presse ne quittera plus jamais la presse. Faute de pouvoir augmenter le salaire horaire, il travaillera davantage d'heures. Il commencera par huit heures par jour à l'usine. Puis, pour pouvoir acheter une cuisinière à gaz ou un scooter, il fera des heures supplémentaires chez les artisans qui achètent d'occasion les vieilles presses à injecter. Il travaillera toujours plus longtemps; il mangera et dormira pour pouvoir travailler; et rien d'autre jusqu'à la mort.

Or, à Bionnas, il n'y a pas d'autres métiers que ceux de la matière plastique.

« Je veux quitter Bionnas, dit Marie-Jeanne. Voilà ma condition.

— Quand je serai passé coureur professionnel, nous pourrons quitter Bionnas.

— Soit, dit Marie-Jeanne. Nous attendrons pour nous marier que tu t'appelles Louison Bobet.

— Tant pis pour le vélo, s'écria Busard. Nous quitterons Bionnas cette année même. »

Il partit sans solliciter un nouveau baiser. Il avait peur à la voir si maîtresse d'elle-même. Un baiser du bout des lèvres eût été désespérant après tout l'abandon qui avait failli en faire sa maîtresse.

III

On ne vit pas Busard à Bionnas pendant toute une semaine. Il revint chez Marie-Jeanne, le mardi suivant, à neuf heures du soir, l'heure où il était autorisé habituellement à se présenter.

« Voilà, dit-il. Je suis allé à Lyon, où j'ai vu des camarades de régiment. Ils m'ont envoyé à Chalon-sur-Saône, chez des amis à eux qui m'ont envoyé à Mâcon. On nous propose la gérance d'un snack-bar qu'on achève tout juste de construire, entre Chalon et Mâcon, sur la grande route Paris-Lyon-Marseille-Côte d'Azur. Il passe en moyenne 350 voitures par heure. »

Il décrivit l'établissement. Un cube de béton blanc, à côté d'un poste à essence équipé de six pompes automatiques, éclairé au néon toute la nuit. Un bar, avec quinze tabourets, dix petites tables de quatre couverts. Logement de trois pièces pour les gérants. Et l'on voit défiler le monde entier, tout au long de l'année.

Il expliqua l'avantage des snack-bars. Que les automobilistes d'aujourd'hui n'aiment pas perdre de temps dans les auberges. Qu'ils préfèrent manger sur le pouce, pendant qu'on leur fait le plein d'essence; et que, s'ils ne veulent pas quitter leur siège, on leur porte un sandwich, avec du vin dans un gobelet de carton. Que le snack-bar, c'est l'avenir. Qu'en dix ans, avec leurs économies de gérants, ils deviendront propriétaires.

On leur demandait une caution de 700 000 francs. Son père lui donnait 150 000; la moitié de ses économies de petit artisan, polisseur des montures de lunettes qui sortaient à demi finies des presses à injecter. L'autre moitié constituerait la dot de sa sœur, Hélène, fiancée à un mécanicien de Plastoform.

Marie-Jeanne annonça que sa mère et elle avaient 225 000 francs placés à la Caisse d'Epargne. 150 000 + 225 000 = 375 000.

— Nous sommes encore loin du compte, dit-elle... Dommage, j'aurais aimé voir passer tous ces gens.

— Reste à trouver 325 000, dit Busard. J'ai mon idée là-dessus. »

Il se leva.

« Tu ne restes pas?

— Non. Il faut que je m'occupe tout de suite de trouver ces 325 000 francs. »

Il lui tendit la main.

« A jeudi, Marie-Jeanne. »

Le Bressan n'avait pas quitté Bionnas.

Sa victoire dans le Circuit lui avait rapporté une douzaine de mille francs, qu'il avait dépensés, le dimanche soir et toute la journée du lundi, au *Petit Toulon*, chez Jambe d'Argent. Il avait invité tout le monde à boire du mousseux, coupé de rasades de marc, et n'avait pas dessoulé jusqu'au mardi matin.

Il avait vingt ans; c'était son *année de conscrit,* que les jeunes Bressans célèbrent par toutes sortes d'exploits. Au mois de janvier, avec les dix-huit garçons de son village, nés comme lui en 1934, *ses conscrits,* il avait fait le tour, dix-huit jours durant, de toutes les fermes pour quêter les fonds nécessaires au grand banquet qui s'était célébré le dix-neuvième jour. Autant de jours de quête que de conscrits dans la commune, telle est la coutume en Bresse.

Les jeunes gens font irruption dans les cours, parés d'autant de cocardes et de rubans que les indigènes de la Nouvelle-Guinée de plumes, de masques et de tatouages pour la célébration des Fêtes de la Virilité. Ils exécutent des danses, dont le rythme est marqué par des claquements de talon et les variations accompagnées par une sorte de hululement, modulé différemment dans chaque village, un cri de guerre paroissial; le mouvement s'accélère graduellement jusqu'à épuisement des danseurs; ensuite, on offre à boire et à manger.

Pendant toute cette période, les conscrits veillent chaque soir chez l'un d'eux, à tour de rôle; on boit énormément de marc, qui ne manque pas, tous les fermiers de la région étant bouilleurs de cru. Le banquet qui clôtura ces dix-huit jours d'une orgie que les ethnographes appelleraient rituelle, dura quarante-huit heures Il y fut bu quatre hectolitres d'un vin blanc de Noa, bon marché et âcre, mais riche en alcaloïdes qui excitent au plus haut point les nerfs moteurs, et près d'un hectolitre de marc. Les jeunes filles nées de la même année, les *conscrites* des *conscrits*, furent invitées au premier repas, qui dura de midi à six heures, mais se retirèrent, comme il est de coutume, quand les garçons commencèrent à être ivres. Le Bressan avait bu et mangé davantage qu'aucun de ses camarades. C'était lui, qui, chaque nuit était tombé le der-

nier. Dans les rixes avec les conscrits des villages
voisins, il avait été le plus provoquant, le plus
combatif et le plus fort. Il modulait mieux que
les autres le cri de guerre. Il sautait plus haut,
bien qu'étant le plus court. La veuve qui se
prête à l'épreuve des jeunes forces des conscrits,
l'avait proclamé vainqueur. C'était lui enfin qui
avait ramassé le plus d'argent pour le banquet
final.

Le mois de janvier ainsi achevé, le Bressan
s'était demandé à quels nouveaux exploits se
consacrer. En décembre, il sera appelé au service
militaire. A sa libération, il se mariera avec la
fille d'un voisin, qui lui apportera trois hectares
en dot; cela était déjà réglé. Il trouvera trois ou
quatre autres hectares à louer et il paiera en
journées de travail la paire de bœufs que son
beau-père lui prêtera pour les labours et les
charrois. Il devra économiser pour acheter des
bestiaux et du matériel et prendre un jour une
ferme à son compte. Plus tard, économiser pour
payer le fermage, et, plus tard encore, quand
il aura des enfants, pour prendre une ferme
plus grande. La femme tiendra la bourse. Une
seule *bringue* par mois, le jour de la foire de
Saint-Trivier-de-Courtes. Les soirées passées à
méditer les marchandages avec le maquignon, le

coquetier et le laitier, et rien d'autre jusqu'à la mort.

De février à décembre, il ne lui restait que dix mois pour accomplir des exploits. Il se sentait fort à obliger un bœuf à s'agenouiller devant lui, courageux à aller tout seul enlever une fille au milieu du bal d'un village ennemi. Qu'on lui proposât un travail, un pari ou une bataille, il n'avait qu'une réponse :

« Ça ne me fait pas peur. »

L'année de conscrit est pleine de loisirs. Tout le village respecte cette floraison qui n'a lieu qu'une fois dans la vie. Les voisins donnent un coup de main au père dont le garçon *fait le conscrit.* Le Bressan qui avait finalement opté pour des prouesses sportives, commença à s'entraîner dès février. Il roulait toute la journée sur les routes glacées. Il s'éloignait chaque jour un peu plus. Sa première grande côte, le col de la Faucille, il la grimpa dans la neige fondante et tomba dix-huit fois. Il avait calculé ce que rapportent au cours de l'été les primes des courses de canton, et qu'elles lui permettront de tenir table ouverte à l'auberge. Il sera doublement champion de cyclisme et de générosité.

Il avait passé à Bionnas la semaine qui suivit le Circuit, parce qu'après qu'il eut dépensé tout

l'argent gagné, Jambe d'Argent lui avait fait
crédit pour la nourriture, le logement et la boisson. Jambe d'Argent, vieux romantique, aime les
têtes brûlées. Le dimanche suivant, le Bressan
avait couru à Saint-Claude, où il avait dépensé
dans la nuit les primes remportées. Il était revenu à Bionnas pour y attendre la course de la
Pentecôte à Bellegarde, ville voisine. Jambe
d'Argent lui avait de nouveau fait crédit, mais
plus pour la boisson.

Le mardi soir, à neuf heures et demie, il était
seul devant un verre vide. Il espérait que quelque client attardé lui offrirait un pot, en souvenir de ses largesses passées.

Busard entra et vint à lui :

« Qu'est-ce que tu bois? demanda Busard.

— Tu me dois cinq mille francs, répondit le
Bressan.

— Depuis quand?

— Tu m'as volé la prime au col.

— Fais attention à ce que tu dis!

— Paie-moi, j'ai besoin de sous. »

Busard parut avoir un instant d'hésitation.
Jambe d'Argent qui les avait écoutés et qui les
observait, crut qu'il allait répondre au Bressan
par un affront.

Il s'avança pour garer le matériel.

Mais Busard s'assit en face du Bressan.

« C'est bon, dit-il. On va parler de ça. »

Jambe d'Argent s'éloigna.

« Veux-tu gagner 325 000 francs? » demanda Busard.

Le Bressan le regarda en clignant des yeux. Il a de petits yeux, fentes étroites dans les joues roses.

« C'est à voir, dit-il.

— 325 000, d'ici fin novembre, plus 500 par jour pour ta pension. Je te logerai.

— C'est à voir, répéta le Bressan. Pourquoi me proposes-tu cela?

— Parce que j'ai besoin de toi. »

Il expliqua son projet. Une presse à injecter fonctionne vingt-quatre heures sur vingt-quatre. Trois ouvriers y travaillent à tour de rôle, à raison de trois postes de huit heures par jour. Il ne serait pas possible à deux hommes seulement d'en assurer le service, à raison de deux postes de douze heures, autrement qu'exceptionnellement; la fatigue en effet, commence à se manifester, sous la forme d'une somnolence, dès la sixième ou la septième heure; la plupart des accidents arrivent au cours des deux dernières heures des postes de huit heures. Mais en alternant quatre heures de travail, quatre heures de repos, il n'y a pas de raison de ne pas résister indéfiniment. Six fois quatre font vingt-quatre : à raison de trois postes de quatre heures chacun, deux hommes peuvent assurer le service d'une presse.

A 160 francs de l'heure, douze heures par jour, de quelque façon qu'elles soient réparties, rapportent 1 920 francs.

Les huit heures du milieu de la nuit sont majorées de cinquante pour cent. Soit 320 francs pour chacun des deux hommes. Ce qui porte leur journée à 2 240 francs.

Retirons les 500 francs de la pension. Restent 1 740 francs net.

A raison de 1 740 francs par jour, il faut cent quatre-vingt-sept jours pour gagner 325 000 francs...

« C'est la somme dont j'ai besoin, dit Busard, et que je te propose de gagner aussi... Si nous commençons après-demain, 16 mai, nous aurons terminé le 18 novembre.

— Pourquoi t'adresses-tu à moi?

— Parce que je sais que tu es fort.

— Pourquoi ne travailles-tu pas tout seul quatre heures sur huit?

— Parce que quatre heures-quatre heures, ça tombe tout par travers des postes des autres ouvriers. Un patron ne confiera une machine à une équipe que si elle en assure entièrement le service.

— Cette année, je ne peux pas, dit le Bressan. Je fais le conscrit.

— Réfléchis, 325 000 francs, c'est quatre paires de bœufs.

— Non, dit le Bressan. Une paire de vrais bons bœufs, ça va dans les 90 000. »

Busard commanda un second pot. Le Bressan se tut. Il réfléchissait.

« Quatre heures-quatre heures, dit Busard. Tu auras tout le temps de dormir et même de te cuiter. Six mois et quatre jours, ce n'est pas la vie.

— Ça ne me fait pas peur, dit le Bressan. Mais je suis conscrit. »

Il réfléchit encore, tête baissée, en grattant le marbre de la table avec son index.

Busard commanda un troisième pot.

« C'est quand cette année qu'ils appellent au service? demanda le Bressan.

— On a dit à la radio le 12 décembre.

— Je suis ton homme. J'achèterai une paire de bœufs et trois vaches, que je laisserai à mon père, pendant que je ferai le zouave. Avec ce

qui restera, je pourrai bringuer, en attendant
d'être appelé militaire. »

Après un moment, il ajouta :

« Plus besoin de vélo. Je vais le vendre. Ça
fera bien dans les vingt mille. Je te paie un pot.

— Je n'ai plus le temps de boire, dit Busard.
Maintenant, il faut que je trouve une presse.

— Tu n'as pas encore la machine? demanda
le Bressan, en le regardant soupçonneusement.
Tu as inventé tout cela pour ne pas me
rendre mes cinq mille francs...

— La machine, j'en fais mon affaire. »

Paul Morel devait 30 000 francs à Busard.

Il lui avait emprunté par petites sommes.
Busard traversait la cour de l'usine sur son
tricycle chargé de montures de lunettes à polir.

« Passe un instant dans mon bureau », demandait Paul Morel.

Il fermait la porte du bureau.

« Tu ne peux pas me prêter cinq billets?
Le paternel a encore râlé. Et j'ai promis à
Juliette de l'emmener dîner ce soir à Bourg.
Je te rendrai cela samedi... »

Ne buvant pas à cause du cyclisme et vivant
chez ses parents, Busard avait toujours un peu
d'argent *devant lui.*

Le samedi, Paul Morel rendait 2 ou 3 000 et essayait de compenser la différence, en inscrivant au compte du garçon des heures supplémentaires qu'il n'avait pas faites. Il fermait les yeux, quand Busard cachait le tricycle dans un appentis le temps d'aller faire un petit galop d'entraînement sur son vélo de course.

Jules Morel, le père, était arrivé d'Auvergne à Bionnas, trente ans plus tôt, comme tâcheron. Il avait construit l'atelier qui devait être le premier de son usine, avec deux compagnons, pour le compte d'un artisan auquel il devait plus tard le racheter. En 1936, il avait placé la totalité de ses économies dans l'achat d'une presse à injecter, la première qui fût importée à Bionnas, et probablement en France. Les artisans avaient souri de la folie du maçon : ils ne croyaient encore qu'au travail à la main : « La matière plastique, c'est spécial. » Mais comment l'idée lui était-elle venue d'introduire la machine à Bionnas? Il avait épousé une Rhénane, connue pendant l'occupation en 1920; les Allemands furent les premiers à fabriquer des presses à injecter; Jules Morel les vit fonctionner dans une usine de Düsseldorf, pendant les vacances de 1935, ses premières vacances, qu'il passa dans sa belle-famille; il comprit tout de suite qu'il venait de découvrir l'arme qui lui permettra de conquérir Bionnas.

La presse à injecter fait en une heure le travail de plusieurs journées d'artisans. Avec le bénéfice de six mois de travail sur sa machine qu'il manœuvrait seul, sous un hangar, Jules Morel put acheter une seconde presse. Il avait le courage, l'âpreté, et aussi la hardiesse des pionniers du capitalisme. Les industries nouvelles suscitent parfois des patrons dignes du début du XIXe siècle. L'idée que ses machines ne fonctionnaient pas la nuit et de tout le profit ainsi gaspillé, lui crevait le cœur; mais impossible de convertir les Bionnassiens aux *trois huit;* le travail de nuit, dans ce temps-là, leur paraissait contre nature. Il fit venir six Auvergnats et les installa par roulement devant les deux presses qui fonctionnèrent vingt-quatre heures sur vingt-quatre. Il se réserva la partie commerciale.

Ainsi naquit Plastoform qui occupait en 1940 cent cinquante ouvriers autour d'une cinquantaine de presses et autant d'ouvrières dans les ateliers d'assemblage.

A partir de 1940, Jules Morel cessa d'agrandir Plastoform, bien que la guerre eût accru la demande d'objets en matière plastique. Mais de nombreux concurrents avaient surgi à Bionnas et dans toute la France. L'usage de la presse à injecter était en train de devenir la règle. Les artisans ruinés se transformaient en ouvriers à façon pour la finition, ou s'embauchaient pour le travail aux presses. Les marges de bénéfices se réduisaient. L'industrie de la matière plastique devenait une industrie comme les autres. D'avoir été le premier ne favorisait pas Jules Morel; au contraire, car ses presses étaient déjà démodées.

Il consacra désormais ses bénéfices à acheter des bâtiments et du terrain. Il spéculait sur la future prospérité de ses concurrents. Les groupes financiers qui commençaient à investir dans la matière plastique allaient avoir besoin de place et de toits pour leurs nouvelles presses, qui coûtaient dix fois ce qu'avaient coûté ses machines à lui. Il s'introduirait de force dans le circuit, pas comme producteur, mais comme propriétaire. Ce qui s'était passé.

Ce qu'on appelle aujourd'hui la Cité Morel, où habite Marie-Jeanne Lemercier, est un de ses achats de cette époque, une ancienne briqueterie. Elle est mal placée, en contrebas de la route de Saint-Claude, près d'un étang qui se termine en marécage, et sans voirie. Les indus-

triels firent valoir ces inconvénients pour obtenir
des rabais. Jules Morel trouva plus avantageux
de transformer en logements les bâtiments dé-
saffectés. Il fit installer au centre une fontaine,
et des latrines *à la turque,* comme dans les
casernes. Dans les cours, il installa des baraquements : pas de surface perdue. Une cinquantaine de familles vivaient là-dedans. Les
logements de deux pièces, dans les anciens fours,
étaient loués 800 à 1 000 francs par mois; les
trois pièces des baraquements, le double. Bon
an, mal an, la cité Morel rapportait un million.
Jules Morel allait lui-même toucher les loyers,
qui lui payaient ses frais de voiture, une huit
cylindres américaine, renouvelée chaque année.
Il ne tolérait pas de retard : « J'ai toujours fait
face à mes engagements », disait-il, ce qui était
vrai.

L'hiver, le marécage envahissait les chemins
qui n'étaient pas empierrés; l'eau de la fontaine
était polluée, les latrines débordaient. Mais certains estimaient que c'était une chance que
d'avoir un logement Cité Morel pour un loyer
modéré.

Paul Morel, fils unique, était passé par une
école régionale d'Arts et Métiers, après avoir
fréquenté l'école primaire de Bionnas, où il

avait connu Bernard Busard et tous ceux de ses ouvriers qui avaient à peu près le même âge que lui. Il exigeait qu'ils continuassent de le tutoyer. Il avait le titre de directeur de Plastoform et était déjà associé à l'affaire; mais son père gardait la haute main sur tout et même sur les détails.

Morel le fils était toujours d'accord avec les revendications du syndicat. C'était son père qui l'empêchait de céder.

« Bien sûr, disait-il aux délégués, si le vieux m'écoutait, Plastoform ne tiendrait pas longtemps le coup... »

Il expliquait l'état du marché et l'impossibilité de payer la main-d'œuvre plus cher que les concurrents.

« Quand je dirigerai pour de bon, nous irons à la faillite. »

Il haussait les épaules en riant.

Et c'était vrai qu'il ne s'intéressait qu'au cyclisme. Mais comme il ne courait pas lui-même, se bornant à animer et à subventionner l'Etoile, il n'était pas obligé à la chasteté. Il aidait des ouvrières, payant leur loyer ou des robes de confection, les *sortant* à l'occasion dans les boîtes de Lyon ou de Genève, et, quand il aimait d'amour, offrant un scooter.

Morel le père approuvait sans le dire la familiarité avec les ouvriers, qui est de bonne politique et qui correspondait d'ailleurs à son sentiment, le mécénat cycliste, parce que les jeunes gens qui font du sport n'ont pas le temps de fréquenter les réunions politiques, et même les jeunes ouvrières, qui n'empêcheraient pas le mariage avec la fille d'un vrai industriel, possédant une usine *new-look*. Comme il avait gardé pour lui seul la signature en banque, il pouvait veiller à ce que tout cela ne coûtât trop cher, et il n'y manquait pas.

Après avoir conclu son pacte avec le Bressan, Busard alla demander Paul Morel à l'Hôtel de France, où Morel et fils traitaient des clients. Paul passa de la salle à manger dans le vestibule.

« J'ai besoin d'argent, dit Busard.

— Tu tombes mal.

— Tu me dois 30 000.

— Je ne pense qu'à ça, mon pauvre vieux. Combien te faut-il?

— 325 000 francs. »

Paul Morel rit.

« Je respire », dit-il.

Il rit encore.

« Pour les transferts de capitaux, adresse-toi

à mon père. Mais si tu as besoin de vingt-cinq louis...

— Non, dit Busard, j'ai besoin de 325 000 francs. »

Et il commença d'exposer son projet.

« Tu m'expliqueras cela demain. Le vieux doit se demander ce que je fais...

— Ecoute-moi. »

Busard avait le même air de résolution farouche que lorsqu'il s'était échappé du peloton. Un esclandre eût gêné Paul Morel. Son père eût pris en mauvaise part l'emprunt fait à un ouvrier; à moins que cela ne l'eût amusé : « mon fils est encore plus filou que moi »; mais ce n'était pas sûr. En tout cas, il n'eût pas admis que son fils se fût mis en situation de subir un esclandre devant les clients. Il écouta. Ensuite :

« Moi, je veux bien. Mais le singe va dire que tu fous la vérole dans le chantier... »

C'était son style que d'appeler son père « le singe », comme s'il n'avait été lui-même qu'un employé de la « boîte », ce qu'il prétendait.

« Foutre la vérole dans le chantier » est une expression idiomatique des gens du bâtiment; il avait appris cela, en même temps qu'à dire papa, maman.

« Arrange-toi avec ton père, exigea Busard.

— Mais pourquoi 325 000 francs?

— J'en ai absolument besoin.

— Tu as fait des conneries?

— Non. Mais je suis prêt à en faire. Il me faut cette machine pour six mois et quatre jours.

— Au fait la boîte n'y perdra rien.

— Je le sais bien.

— C'est déjà arrivé... »

On racontait souvent à Bionnas l'exploit d'un Italien qui avait travaillé à une presse, vingt heures sur vingt-quatre, pendant trois mois, pour s'acheter une moto. Sa femme le relayait, pendant les quatre heures qu'il consacrait au sommeil.

« Tu vas rater ta saison cycliste », dit Paul Morel.

Busard n'avait pas parlé du snack-bar parce qu'il était persuadé que Paul Morel s'opposerait à son projet, tenant à le conserver à l'Etoile, maintenant qu'il en était devenu, après Lenoir et bientôt devant lui, le meilleur coureur. Il se trompait.

Morel était persuadé que sa brillante échappée du Circuit n'avait été qu'un accident; « Busard a du courage, mais pas de fond », voilà ce qu'il disait.

« Le Circuit m'a claqué, dit Busard. Ma jambe me fait encore mal. Je ne ferai plus rien de bon cette année. »

Il parlait contre sa conviction pour lever ce qu'il croyait être la principale objection de Morel.

« Je vais essayer de convaincre le vieux, dit celui-ci.

— Réussis », dit Busard, en fronçant ses sourcils qui sont noirs et rapprochés, ce qui lui donne facilement l'air d'être prêt à un *coup de tête*.

Paul Morel entra dans la salle à manger et prit un instant son père à part.

« Non, dit Jules Morel. Si chaque ouvrier travaillait aux heures qui lui chantent... »

Paul insista. Bernard était un camarade d'école, cela ferait mauvais effet qu'il lui refusât une faveur qui ne coûtait rien. Morel père qui s'ennuyait avec les clients (il n'aimait pas cette habitude de traiter les affaires à table; il s'était *fait* en discutant sans mâcher les mots, derrière son bureau qui était de bois massif et supportait les coups de poing) écouta son fils.

« Busard, demanda-t-il, n'est-ce pas ce garçon qui fréquente la Marie-Jeanne de la Cité? »

Il réfléchit un instant.

« Fais comme tu veux, dit-il... A condition que le syndicat soit d'accord. Je ne veux pas me mettre le syndicat sur le dos, pour le seul plaisir de faire un avantage à un de tes coureurs. Il s'agit bien de cela, n'est-ce pas? Busard, c'est le grand maigre qui a failli gagner le Circuit? »

Paul Morel alla transmettre la réponse.

« Merci, dit Busard. Pour ce qui est du syndicat, j'en fais mon affaire. »

Paul Morel retourna, le cœur léger, boire le champagne avec les clients. Il considérait qu'il s'était libéré de sa dette. Une soirée qui lui rapportait 30 000 francs.

Busard alla dès le lendemain matin dire à Paul Morel, qu'il avait obtenu l'accord du syndicat. Ce n'était ni vrai, ni faux, le garçon ayant omis de poser la question aux délégués.

L'après-midi, il alla à Mâcon, par le train, et signa le contrat pour la gérance du snack-bar. Il versa en acompte les 375 000 francs rassemblés par Marie-Jeanne et lui-même, le solde, c'est-à-dire 325 000 francs, payable fin novembre.

Il entra à l'atelier dès le jeudi, en même temps que les ouvriers du second poste, à huit heures du matin. C'était le 16 mai. Il aura fini

sa tâche le 18 novembre, un dimanche, à huit
heures du soir. Le contremaître, qui avait été
prévenu, lui remit en charge sa machine, une
presse semi-automatique, du modèle le plus
récent en usage à Plastoform.

La presse fonctionne dans le sens horizontal.
Elle mesure dans les trois mètres.

En tête, et plus haut que le corps, le réservoir,
qu'il faut remplir plusieurs fois par jour, plus
ou moins souvent selon le volume de l'objet fabriqué. C'est le travail d'un manœuvre qui
amène sur un chariot le mélange convenable.
La matière plastique, à l'état brut, ressemble à
du sucre cristallisé, mais dans les teintes les plus
diverses. La couleur de l'objet moulé par Busard
était le rouge géranium. Une fois toutes les deux
heures, les cristaux géranium coulaient du chariot dans le réservoir, avec un joli bruit analogue au froissement de la soie.

Du réservoir, la matière plastique tombe
automatiquement dans le cylindre, qui se
trouve au-dessous, comme le cou sous la tête.
C'est dans le cylindre, aux parois d'acier spécial enrobées dans un bloc de fonte, et dont
l'intérieur demeure perpétuellement invisible,
que les cristaux de matière plastique entrent en
fusion, par l'effet d'un dispositif électrique.

Le cylindre de la machine de Busard, posé sur quatre poteaux comme un lion sur ses pattes, mesure deux mètres.

Le piston glisse dans le cylindre et projette la matière en fusion dans le moule, au travers d'un étroit conduit où elle le pulvérise.

Le moule, à l'extrémité du cylindre opposée au réservoir, est comme le ventre de la presse. Une tête cylindrique : le réservoir, emmanchée d'un long cou posé horizontalement : le cylindre, aboutissant à un ventre court : le moule, telle apparaissait la machine confiée à Busard.

Le ventre est composé de deux parties, l'une mâle, l'autre femelle.

La partie mâle obture la sortie du cylindre. Côté cylindre elle est lisse, sauf l'entrée du conduit injecteur. Côté ventre, elle porte, incorporé à elle-même, le moule en plein de l'objet à mouler, percé en son centre par l'orifice du conduit injecteur. La partie mâle fonctionne donc simultanément comme moule en plein et comme injecteur.

La partie femelle dresse, face au moule en plein, le moule en creux.

Le ventre s'ouvre et se ferme à chaque opération.

Quand le ventre est fermé, la partie mâle et la partie femelle sont étroitement ajustées l'une à l'autre. Mais un vide demeure au centre, qui a exactement la forme et le volume de l'objet à mouler : c'est la matrice.

Aussitôt le ventre fermé, le piston se met en marche, mû par une pression de plusieurs milliers de kilos. Il projette violemment la matière plastique en fusion du cylindre dans la matrice, au travers du conduit injecteur, où elle se pulvérise au passage.

Le va-et-vient du piston, le long cylindre dardé au creux du ventre et l'injection de la matière plastique en fusion dans la matrice du moule, font l'objet, parmi les travailleurs de la matière plastique, d'innombrables plaisanteries.

Quand le piston revient en arrière, son extrémité saillit sous le réservoir, comme le jabot sous la tête du dindon mâle qui fait la roue devant sa compagne. Mais le métal du piston, lisse et huilé, est bien plus beau que le jabot craquelé du dindon.

Dans la paroi du ventre des serpentins font circuler une eau glacée qui refroidit et durcit la matière en fusion injectée dans la matrice.

Dès que la matière est refroidie, le ventre s'ouvre, la partie femelle s'écarte de la partie mâle, et l'ouvrier retire l'objet achevé, posé sur le moule en creux qui s'est abaissé, comme un œuf dans son nid. Le ventre se referme.

Moule en creux et moule en plein sont en acier chromé, qui jette des éclats. Il faut les polir souvent, à la peau de chamois, sinon la matière plastique en refroidissant s'attacherait aux parois. Le ventre de la presse à injecter est délicat et précieux comme le moteur d'une voiture de course.

Busard contempla avec plaisir, allongée devant lui comme un bel animal, la puissante machine qui allait lui permettre d'acheter la liberté et l'amour.

Le ventre dans lequel ses mains allaient avoir à travailler pendant cent quatre-vingt-sept jours n'était plus séparé de lui que par le réseau à jours octogonaux de la grille de sécurité. Le moule ne s'ouvrira que quand il aura levé la grille, ne se fermera que quand il l'aura abaissée. C'est pour l'empêcher d'oublier par mégarde sa main dans la matrice, au moment où la partie femelle va s'ajuster à la partie mâle. Ce ventre peut à l'occasion se transformer en mâchoire capable de broyer n'importe quel poing.

L'objet que fabrique vingt-quatre heures sur

vingt-quatre la presse confiée à Bernard Busard,
est un carrosse Louis quatorzième, aux angles
surmontés de plumets. Un jouet, qu'on peut
acheter au rayon ENFANTS de certains magasins
à succursales multiples. Les quatre chevaux et
le timon sont moulés par d'autres presses, et le
tout assemblé à l'étage au-dessus, dans les ateliers
de femmes. Le moule a été acheté d'occasion en
Amérique. Là-bas on ne l'injectait pas en rouge
géranium, mais en noir, et l'objet fabriqué ne
portait pas le nom de carrosse mais, maquette
d'un corbillard de première classe, servait pour
la publicité d'une entreprise de pompes fu-
nèbres.

Dans le ventre à serpentins, la matière plastique refroidit en trente secondes. L'ouverture
et la fermeture du ventre, et l'injection de la
matière en fusion exigent dix secondes. La
presse fabrique un objet toutes les quarante secondes.

Busard calcula qu'en cent quatre-vingt-sept
jours, il produirait 201 960 corbillards-carrosses,
et le Bressan autant.

Il connaissait déjà la manœuvre des presses,
ayant fait à plusieurs reprises des remplacements
dans les ateliers. Le travail au demeurant était
d'une extrême simplicité, la machine étant

presque entièrement automatique. Il enclencha
la manette qui branche le courant. C'était un
geste à faire une fois pour toutes. Il leva la
grille de sécurité. Le ventre s'ouvrit. Il mit
la main dans le ventre et en détacha le
dernier carrosse moulé par l'ouvrier du poste
précédent.

Le carrosse, quand il sort du moule, se trouve
comme ouvert et aplati le long d'une charnière
longitudinale qui passe par le milieu du toit
et le sommet du crâne du cocher. Ce sont
comme deux carrosses qui sont moulés en même
temps et côte à côte : partie gauche et partie
droite. Il en est de même de tous les objets dont
l'intérieur est creux. Si la partie gauche seulement était inscrite dans le moule en creux et
seulement la partie droite dans le moule en
plein, ou inversement, le carrosse achevé serait
plein. Le carrosse tout entier, côté gauche et
côté droit, est par conséquent également inscrit
dans les deux moules.

Ce que Busard retira du ventre de la presse,
était donc un objet presque plat, presque carré,
le bas-relief de deux carrosses symétriques posés
l'un sur l'autre, celui du dessus ayant les roues
en l'air, celui du dessous, les jambes du cocher
en l'air. Les ouvrières des ateliers d'assemblage

les colleront l'un à l'autre pour en faire un seul carrosse.

Busard baissa la grille de sécurité.

Le ventre se referma. Le piston se mit en marche.

Busard, d'un coup de pince, trancha au centre des carrosses jumelés qu'il tenait entre les mains, une saillie, une sorte de bavure, qu'on appelle carotte. C'est le reste du cordon ombilical de matière plastique qui, durant le refroidissement, relie la matrice au cylindre, au travers du conduit injecteur.

En appuyant les deux pouces au centre, et en faisant pression sur les extrémités avec les paumes, il cassa en deux selon la ligne médiane, l'objet qu'il tenait entre les mains, séparant ainsi les deux carrosses jumelés.

Puis il les jeta derrière lui, dans une caisse, qui sera transportée par un manœuvre à l'atelier d'assemblage.

Les trois gestes : trancher, séparer, jeter, n'exigent que dix secondes. Il restait à Busard près de vingt secondes à attendre, avant que s'allume le voyant rouge qui indique que la matière injectée est refroidie. C'est son temps de repos.

Le voyant rouge s'alluma. Busard leva la

grille de sécurité. Le ventre s'ouvrit. Busard détacha du moule les carrosses jumelés, baissa la grille, trancha, sépara, jeta, attendit...

L'atelier était le plus récent de Plastoform, éclairé par de grandes baies vitrées qui donnaient sur un parterre de bégonias. Aux murs, des carreaux de matière plastique, verts, blancs, bleus, roses, plus pimpants que des céramiques; c'était une idée de Paul Morel, qui était en train de lancer le produit sur le marché. On faisait visiter l'atelier aux clients; ils disaient : « La jolie céramique... »; on leur répondait : « Création Plastoform, la pose exige trois fois moins de main-d'œuvre que la céramique véritable. »

Les presses, mues électriquement, étaient presque silencieuses. A l'entrée des cylindres, les tiges des pistons, polies et luisantes comme les cuisses des chevaux de course, allaient et venaient, dans une majestueuse lenteur. La lente cadence, imposée par le temps de refroidissement, donnait aux gestes des ouvriers une apparence de solennité. Ils ne parlaient, ne riaient, ni ne chantaient. Le regard perdu, chacun poursuivait son rêve, sa méditation ou son calcul, détachait, tranchait, séparait, jetait, une fois toutes les quarante secondes, ou toutes les cin-

quante, ou toutes les trente, selon l'objet fabriqué.

Le jouet moulé par la presse de Busard mesu-
rait vingt centimètres, dans le sens de la
longueur. Il calcula que les 201 960 jouets qui
allaient passer par ses mains, s'ils étaient mis
bout à bout, s'allongeraient sur une distance de
près de quarante kilomètres. Quinze cents
mètres seulement séparent Plastoform de la Cité
Morel. Dans quarante kilomètres, il y a plus de
vingt-six fois quinze cents mètres. Supposons que
les carrosses-corbillards soient rangés vingt-six
de front... c'était un immense tapis rouge géranium qu'il était en train de tisser pour aller
chercher Marie-Jeanne.

Le Bressan vint à midi prendre le premier
relais. Busard resta, pour le mettre au courant
du travail; il ne se sentait pas du tout fatigué,
plus dispos et plus joyeux encore qu'au début
de la matinée.

« Compris, disait le Bressan, compris... »

Il voulut se mettre tout de suite au travail.
C'était tellement simple.

Busard expliqua les ennuis possibles. Il arrivait que la matière plastique refroidie collât
dans le moule; il fallait la détacher avec un
outil et nettoyer le moule. Il arrivait que la

carotte cassât à l'intérieur du conduit injecteur
et l'obstruât; la matière en fusion ne passait
plus; le ventre s'ouvrait et l'on trouvait la matrice vide; la portion de carotte demeurée dans
le conduit s'appelle téton; on dégage le conduit
avec une tige de bronze dénommée chasse-téton.

Busard montra où le chasse-téton était rangé,
sous le réservoir, et comment on arrête la presse
pour faire la réparation. Il n'y a qu'à déclen-
cher une manette et le courant est coupé. Aucun
risque si on oublie, le ventre ne pouvant se refermer que si la grille de sécurité est abaissée.

Cette grille agaçait le Bressan qui, dans la
première demi-heure, oublia plusieurs fois de la
lever ou de l'abaisser; alors la presse s'arrêtait
net; on s'apercevait au silence soudain qu'elle
est plus bruyante qu'on ne l'avait d'abord cru.

Sa marche s'accompagne de maints frottements,
chuintements, roulements, glissements, qui lui
font toute une vie, comme celle qu'on entend
lorsqu'on pose l'oreille sur un ventre. Pourquoi
cette grille, puisque l'ouvrier, durant les dix
secondes entre l'ouverture et la fermeture du
ventre, a trois fois le temps d'ôter de la matrice
l'objet moulé?

Busard répondit que le risque était que l'ouvrier s'endormît, la main dans le ventre de la

presse. Il y avait eu énormément de mains
broyées à Bionnas, avant que l'Inspection du
Travail imposât la mise en place des grilles de
sécurité. Le Bressan estima qu'il fallait être bien
feignant pour s'endormir au cours d'un travail qui demandait si peu de peine. Il commençait à croire qu'il avait fait une excellente
affaire. Busard, qu'il agaçait par son inébran-
lable confiance en soi, ne lui décrivit pas la
somnolence que provoque la répétition indéfinie
des mêmes gestes et dont il est d'autant plus
difficile de se défendre qu'ils n'exigent ni effort,
ni attention. Le paysan s'en apercevrait bien.

« C'est comme cela », dit Busard.

Mais il expliqua par honnêteté qu'il arrivait
que la presse s'affolât. Il suffit d'un mauvais
contact sur l'un des circuits qui règlent le déroulement des opérations. Le piston s'emballe et
crache la matière en fusion avant que le ventre
ne se soit refermé : la main brûle. Ou bien, le
ventre, à peine entrouvert se referme: la main
est écrasée. La grille pare en principe à tous
ces dangers, puisque tant qu'elle est levée, le
courant est coupé pour toute la presse. C'est
pourquoi le mécanisme de la grille n'est pas également automatisé; elle n'obéit qu'à la main
de l'ouvrier, qui demeure ainsi maître de sa ma-

chine. Il arrive cependant que le coupe-circuit de la grille ne fonctionne pas; alors la presse continue de se mouvoir, grille levée; mais il y avait si peu de probabilités que cet accident coïncidât avec l'ensommeillement de l'ouvrier ou l'affolement de la machine, qu'autant valait ne pas en parler.

La manœuvre de la grille constitue deux des six opérations que l'ouvrier doit accomplir au cours de chaque opération : ouvrir la grille, détacher l'objet, fermer la grille, trancher, séparer, jeter. La manœuvre de la grille constitue le tiers de son travail, le tiers de sa fatigue. Il a fait depuis longtemps le calcul. Beaucoup d'ouvriers suppriment le coupe-circuit que le mouvement de la grille met en action; c'est très simple : deux vis à ôter, une épissure à faire sur le fil. Le contremaître ferme les yeux, sauf quand l'arrivée de l'inspecteur du travail est signalée; alors l'ouvrier manœuvre la grille à chaque opération, geste que le non-fonctionnement du coupe-circuit rend purement symbolique. L'inspecteur du travail ne s'aperçoit ou feint de ne s'apercevoir de rien. S'il arrive un accident, l'examen de la machine révèle le truquage et la responsabilité du patron est dégagée.

Busard ne révéla pas à son coéquipier le mécanisme du coupe-circuit. Le Bressan s'en apercevra bien assez tôt. Depuis que les grilles de sécurité étaient obligatoires, on comptait quand même encore à Bionnas une trentaine d'accidents du travail par an, pour la plupart des doigts ou des mains écrasés.

En se décidant à travailler à l'atelier, Busard s'était juré de respecter la règle de sécurité. Il ne touchera jamais au coupe-circuit. Comme tous les jeunes gens nés à Bionnas, il connaissait toute l'étendue de la tentation et du danger. Il préférait le tiers de travail, de fatigue de plus. Il n'était pas lié à la presse pour la vie, comme la plupart de ses camarades d'atelier. Lui, dans six mois, il traitera dans son snack-bar les passagers des longues voitures qui glissent sur la Nationale N° 7; Marie-Jeanne, à la caisse enregistreuse, additionnera les recettes; ils économiseront pour acheter la Cadillac; ils deviendront à leur tour des clients des snack-bars...

« Alors fiston, on veut casser les vitres? »
Chatelard, le secrétaire du syndicat, venait de surgir derrière lui.
« Viens dans la cour. J'ai deux mots à te dire.
— Je travaille, dit Busard sans se retourner.

— Anar comme ton père? »

Chatelard est un vieil ami du père de Busard. Ils ont mené ensemble la campagne électorale du Front populaire, en 1936, et en juin de la même année les combats contre les Croix-de-Feu, au cours desquels il arrivait que des coups de feu fussent échangés. En 1945, le père de Busard laissa tomber, dégoûté que la classe ouvrière n'eût pas profité de la Libération pour prendre le pouvoir. Il avait également abandonné le syndicat; travailleur à façon, il se prétendait maître chez lui. Il regrettait sans l'avouer complètement, le temps où il avait fondé avec des camarades l'*Aube sociale,* coopérative de consommation, épicerie-fruiterie-quincaillerie, et aussi café-brasserie, où se réunissaient les militants ouvriers (mais on s'était aperçu en 1914 que le gérant du café était un indicateur de police.) En ce temps-là, l'*Aube sociale* éditait un hebdomadaire socialiste, auquel Lénine, réfugié en Suisse, collabora. Le vieux militant boudait aux formes contemporaines du combat politique. Mais il était resté lié à Chatelard, avec lequel il discutait des soirées entières, au café de l'*Aube sociale,* qui existait toujours. « Coco », « anar », les deux hommes n'en avaient jamais fini de s'injurier amicalement.

« Vous voyez bien que je travaille, répéta
Busard, sans se retourner.

— Bon, bon, dit Chatelard. A ce soir. Nous
nous expliquerons devant ton père.

— Je reviens, dit Busard au Bressan.

« Appelle-moi si quelque chose ne marche
pas... »

Il sortit derrière Chatelard.

« Alors, dit le délégué, non seulement tu
fais des heures supplémentaires, mais tu te les
fais payer au tarif ordinaire...

— Je me défends comme je peux », dit
Busard.

Le syndicat était opposé par principe aux
heures supplémentaires, mais il était bien obligé
de fermer les yeux, la plupart des travailleurs
ne pouvant pas vivre avec le salaire des quarante
heures par semaine. Toutefois, sur le tarif des
heures supplémentaires, le syndicat restait in-
transigeant, approuvé par la quasi unanimité
des ouvriers. Les heures supplémentaires devaient être payées cinquante pour cent en
plus; à Plastoform, lorsqu'elles se situaient pendant le poste de nuit, au tarif majoré, elles se
payaient 360 francs. Mais sauf aux rares époques
où, tous les industriels de Bionnas ayant reçu
simultanément de grosses commandes, la main-

d'œuvre manquait, Plastoform ne faisait pas faire d'heures supplémentaires aux ouvriers aux presses; ceux-ci allaient gagner leur salaire d'appoint, après leur poste à l'usine, chez des artisans. Busard n'avait jamais envisagé de demander qu'on lui paie au tarif syndical les huit heures supplémentaires que le Bressan et lui faisaient chaque jour; « Es-tu devenu fou? » lui aurait demandé Paul Morel. C'était par faveur qu'il avait obtenu un poste supplémentaire; on ne fait pas payer une faveur.

« A deux, reprit Chatelard, vous faites le travail de trois. Est-ce que tu te rends compte que tu ôtes le pain de la bouche d'un ouvrier? »

Busard ne répondit pas. Il se tenait debout devant le vieux délégué, sans le regarder, les lèvres serrées.

« Ton père a une tête de cochon, reprit le vieux délégué. Mais du temps qu'il travaillait dans une boîte, il n'a jamais fait de saloperie.

— Il n'y a pas de chômage en ce moment, dit Busard. Je n'ôte le pain à personne.

— Pas de chômage à Bionnas, mais il y en a ailleurs. Tous les ouvriers sont solidaires.

— Moi je vis à Bionnas, dit Busard...

... Pour l'instant, ajouta-t-il.

— Tu dérailles, dit Chatelard.

— J'ai besoin de 325 000 francs.

— Moi aussi. Depuis que je suis né.

— Je suis fiancé avec la Marie-Jeanne de la Cité.

— Ça m'étonne qu'elle te laisse faire des malpropretés. »

Chatelard s'était occupé de la mère de Marie-Jeanne et de la fillette, après que le père eut été tué par la chute d'une presse à celluloïd. Il s'était battu pour que la veuve obtînt une pension. Il avait toujours veillé à ce que Marie-Jeanne eût un cadeau, le jour de Noël. Plus tard, il était intervenu pour qu'elle entrât à l'école professionnelle où elle avait appris le métier de lingère. Il allait de temps en temps, le soir, bavarder un moment avec la mère. Busard avait calculé tout cela, en lançant le nom de Marie-Jeanne.

« Raconte ton histoire », dit Chatelard.

Busard expliqua que Marie-Jeanne exigeait de quitter Bionnas. Elle avait mis l'obtention de la gérance du snack-bar comme condition à leur mariage. Lui, il avait été obligé d'imaginer quelque chose pour gagner les 325 000 francs qui leur manquaient.

« Un snack-bar? demanda Chatelard...

— Un restaurant où l'on mange sur le pouce,

à côté d'un poste à essence... C'est comme cela aujourd'hui. Les chauffeurs veulent être servis rapidement. Au début, Marie-Jeanne fera la cuisine; rien que des grillades et des hot-dogs.

— Des hot-dogs?

— Des petites saucisses.

— Pourquoi ne parles-tu pas français?

— Moi je servirai.

— Etre larbin, voilà ton idéal.

— Plus tard on aura du personnel. Marie-Jeanne tiendra la caisse. Moi, je dirigerai.

— Exploiter l'homme, voilà toute ton ambition.

— Moi, dit Busard, je ne fais pas de politique.

— A ton âge, je rêvais de faire la révolution, de libérer tous les travailleurs. Je n'ai pas changé d'ailleurs. Lutter pour que tout le monde ait droit « au pain et aux roses », ça ne te dit rien à toi?

— C'est bien noble de votre part », dit Busard.

Il s'appuyait d'une jambe sur l'autre. Il regardait la bouche du vieil homme, pour ne pas avoir l'air de fuir son regard, mais quand même ne pas rencontrer ses yeux.

« Moi, dit-il violemment, je veux vivre aujourd'hui.

— Ça te regarde, dit Chatelard. Gagne ton argent, pour acheter le droit d'être valet. Mais dans les règles. Pas une seule heure supplémentaire. Tu mettras un an au lieu de six mois, ça te fera les pieds.

— Vous êtes le plus fort, vous en profitez.

— Parfaitement, mon garçon.

— C'est que voilà, dit Busard. Marie-Jeanne ne peut pas attendre pour se marier.

— Explique-moi cela.

— Il n'y a rien à expliquer. Ça se comprend tout seul. »

Il avait de nouveau baissé la tête.

« Montre un peu tes yeux. »

Busard releva la tête.

« Je n'aime pas ton air », dit Chatelard.

Busard fronça le sourcil.

« Pourquoi me cherchez-vous des crosses? Je suis honnête. Quand j'ai su que nous allions avoir un môme, je lui ai proposé de l'épouser.

— Je n'aime pas ta façon de parler.

— Qu'est-ce que vous voulez que j'y fasse? »

Le vieil homme roula une cigarette en regardant le garçon qui se tenait devant lui, les bras croisés, le visage fermé.

« On peut se marier sans faire tant d'histoires.

— De toutes manières, il nous faut de l'argent pour nous installer. »

Le vieil homme se détourna pour allumer sa cigarette à son briquet, dans le creux de sa main.

« Je ne comprends pas Marie-Jeanne, dit-il.

— Elle ne se plaît pas à Bionnas, dit Busard.

— Je m'en doutais, dit lentement Chatelard... Elle n'a jamais voulu travailler en boîte... Elle préfère rester toute la journée seule, à tirer l'aiguille, derrière sa fenêtre... Elle se fait des idées... »

Il resta un instant silencieux. Busard devina à quoi il réfléchissait.

« Elle n'arrive pas à oublier l'accident de son père, dit-il.

— Tais-toi, dit Chatelard. Tu n'as pas le droit de parler de ça.

— Toujours les grands mots, dit Busard. Vous n'êtes pas en réunion publique. »

Chatelard le dévisagea. Busard avait croisé les bras, le regardant d'un air de défi.

« Tu ne me plais pas », dit Chatelard.

Il se détourna et ralluma sa cigarette.

« ... peut-être que je ne comprends rien aux

jeunes gens de maintenant... Il y en a pourtant qui me paraissent faits d'une bonne matière... »

Il regarda de nouveau Busard.

« Tu te débrouilleras avec les autres délégués... Je ne peux pas être impartial, parce que j'aime bien la Marie-Jeanne, et ça ne me plaît pas qu'elle se marie avec un petit gars qui se conduit mal... Tu t'expliqueras. Je n'interviendrai pas. »

Il fit demi-tour et s'éloigna du pas lourd et résolu, qui fait qu'on le reconnaît de loin dans les rues de Bionnas.

« J'ai gagné, j'ai gagné », se disait Busard avec exaltation.

Il ne craignait pas les autres délégués syndicaux de Plastoform, moins rigoureux que Chatelard sur les principes, et qui s'amuseront de la prouesse des deux garçons. Ils se moqueront de lui :

« Tu caleras avant la fin, coureur à la manque... »

Mais ils ne s'opposeront pas à l'entreprise.

Il retourna pour un moment à l'atelier. Le Bressan avait attrapé le rythme : lever la grille, détacher le carrosse, baisser la grille, trancher la carotte, séparer les carrosses jumelés, les jeter dans la caisse, attendre que s'allume le voyant rouge, lever, détacher, baisser, trancher, casser, jeter, attendre, lever, détacher...

« C'est moins dur que de labourer, dit-il. Les ouvriers ont bien de la chance. »

Lui aussi exultait. Il pensait aux bœufs et aux vaches qu'il allait acheter, et à la longue suite de bringues avant le départ pour la caserne.

La grande horloge, placée au fond de l'atelier de telle manière qu'on puisse la voir de partout, marquait quinze heures, douze minutes, trente secondes. Elle indique les secondes, parce que les presses en usage auparavant n'étaient pas équipées de voyants; pour ouvrir le moule en temps voulu, l'ouvrier avait été naguère obligé de compter les secondes du temps de refroidissement.

Les travailleurs du second poste de la journée (8heures-16heures) qui n'avaient pas quitté les presses depuis le début de la matinée, levaient de plus en plus souvent les yeux vers l'horloge. Au cours de la dernière heure du poste, beaucoup essaient d'accélérer la marche du temps en combinant de diverses façons la manière de suivre le déplacement des aiguilles; par exemple, en ne regardant que l'aiguille des secondes et l'on se fait une bonne surprise en s'apercevant tout d'un coup que l'aiguille des minutes s'est déplacée de quatre crans au lieu de trois seulement qu'on s'était obligé à calculer.

Le contremaître vint relever les chiffres des compteurs; les presses enregistrent elles-mêmes le nombre d'opérations exécutées, qui correspond au nombre de pièces produites. L'ouvrier a droit à une marge de 5 % par rapport au plein rendement de la machine. Les accidents mécaniques, si on les étale sur un an pour obtenir une moyenne équitable, ne diminuent la proportion que de 2,3 %. La marge de 5 % tient donc largement compte des défaillances de la machine humaine. Au-delà de 5 %, l'ouvrier est supposé avoir omis volontairement et fréquemment d'ouvrir la grille de sécurité, aussitôt que s'allumait le voyant rouge. Une amende est alors infligée, proportionnelle au nombre d'opérations manquantes et à la fréquence de la faute. Ce système, explique Morel le père, a l'avantage d'éliminer automatiquement les *tire-flanc;* inutile de parlementer avec le syndicat pour obtenir l'autorisation de les licencier; ils s'en vont d'eux-mêmes, quand ils s'aperçoivent que le montant des amendes est devenu supérieur au salaire; le jour de la paie, *ceinture;* on ne les revoit plus.

« Je vais manger un morceau, dit Busard.

— Prends ton temps, dit le Bressan. Je ne suis pas du tout fatigué. Si tu veux, ne reviens qu'à six heures... »

Busard monta vers la Cité, dans l'idée de saluer au passage Marie-Jeanne. Paul Morel sortait d'un bistrot de l'avenue Jean-Jaurès.

« Alors, content?

— Pour être content, je suis un peu content », s'écria Busard.

Paul Morel appartient à la classe des patrons, puisque c'est sa famille qui possède les machines, ce qui lui donne le droit de diriger l'entreprise (sous le contrôle de son père). Mais sa « promotion » est toute récente : en 1936, son père était encore tâcheron; et lui, il a fait ses classes primaires dans la même école que la plupart de ses ouvriers. Quand un événement imprévu l'oblige à réfléchir, il estime qu'il a bien de la chance d'être né fils de patron, et bien de la malchance d'avoir un père aussi *radin;* mais telle est la vie avec ses bons et ses mauvais côtés. Ce sont seulement ses enfants qui ne s'étonneront pas (s'il arrivait que le régime subsistât) que les hommes soient partagés en deux classes, ceux qui possèdent les machines et ceux qui les font marcher, qui estimeront même que les ouvriers ont bien de la chance qu'il se trouve des patrons pour leur faire gagner leur vie. Paul Morel est encore assez peuple :

1° pour comprendre que Busard se réjouisse d'avoir trouvé le moyen de gagner les 325 000 francs dont il a besoin. L'acquisition d'une somme d'argent supérieure à celle qui est nécessaire pour la vie quotidienne, pose pour tout ouvrier un problème difficile et souvent sans solution. Mais :

2° pour s'étonner que la satisfaction de Busard soit sans réserve. Les 325 000 francs vont lui coûter cher : 187 jours d'un travail *de machine;* Morel a assez vécu près des presses pour imaginer *l'ennui* de ceux qui les manœuvrent; et il est assez jeune pour que les 187 jours d'ennui lui paraissent une éternité de malheur. Plus, sa saison de coureur. Plus les 30 000 francs au remboursement desquels il a tacitement renoncé pour obtenir le droit de servir la presse aux carrosses plus d'heures qu'il n'est de règle à Plastoform.

Busard aussi est conscient que les 325 000 francs vont lui coûter cher. Mais il les veut. Il est dans l'état d'esprit du coureur qui sprinte pour une prime au passage; il la veut; il gaspille ses réserves de force; tant pis pour *le coup de*

pompe qui suivra nécessairement. Ou comme
le vieillard, ruiné par une fille, qui vend sa
rente viagère pour faire un cadeau qui lui méri-
tera encore un sourire, un instant de bonne
grâce, le dernier. Toutes les passions provoquent
le même affolement, la même course éperdue
dans un couloir sans issue, quand elles sont par-
venues au point où celui qui les subit, comme
disent les joueurs, flambe.

Paul Morel se mourait de savoir le secret de
Busard. Pourquoi payait-il si gros pour se procurer dans les six mois 325 000 francs? Il l'invita
à boire un verre.

« Une fine, commanda Morel.

— Un vittel fraise », dit Busard.

Mais il se ravisa aussitôt. Ne courant plus, il
n'était plus condamné à l'abstinence.

« Une fine aussi », dit-il.

Il n'avait pas encore réalisé cet autre aspect
de son entreprise. Il ne faisait plus partie de la
cohorte des héros qui renoncent volontairement
aux petites facilités. Ce fut ce qui lui poigna
davantage le cœur. Il n'aurait jamais plus rien
à sacrifier à *la forme*. Il était rentré dans le
rang, devenu pareil aux vieux ouvriers qui n'ont
plus d'espérance, et qui boivent à la sortie de
l'usine, pour substituer la chaude somnolence

de l'alcool à la morne somnolence du travail machinal; ils ne se réveillent jamais; *la forme* est au contraire l'extrême pointe de l'éveil. Il eut des larmes dans les yeux.

Morel en comprit aussitôt la raison. Le brusque ravisement de Busard, réclamant une fine, avait déclenché en lui la même association d'idées. Il fut tout près d'avoir lui aussi les larmes aux yeux. Il n'est pas foncièrement mauvais. Il chercha dans son portefeuille. Il n'avait que 5 000 francs sur lui.

« Tiens, dit-il, comme cela, je ne te dois plus que 25 000... je te les rendrai 5 000 par mois... Parole d'homme... Ça te fera quelques jours de moins à rester à la machine.

— Merci, dit froidement Busard.

— Enfin, dit Paul Morel, peux-tu me dire pourquoi tu as absolument besoin de ces 325 000 francs?

— Je veux, dit farouchement Busard, vivre aujourd'hui! »

IV

BUSARD relaya le Bressan, puis rentra souper
chez lui. C'était jeudi, et à neuf heures, comme
d'habitude, il alla frapper chez Marie-Jeanne.
Portes et fenêtres closes. Pas de lumière, personne ne répondit.

Il attendit une demi-heure, appuyé sur son
vélo, sur le bord de la route de Saint-Claude.
Mme Lemercier revint de chez des voisins. Elle
ne savait pas où était sa fille. Elle ne l'avait
pas vue depuis le matin.

« Vous ne voulez pas l'attendre à la maison? »

Il préférait se promener. La mère l'examinait.

« Alors vous vous êtes mis aux presses?

— Il fallait bien... »

Le regard pesait sur lui. Il s'avisa qu'elle a
l'œil vif, qui reflète des réflexions. Il n'avait
jamais prêté attention à elle : c'était la mère
de Marie-Jeanne et une femme qui n'avait plus
de forme, une abstraction. Il pensa, pour la

première fois, que Marie-Jeanne faisait des confidences à sa mère, qu'elles se concertaient, qu'il n'y a pas que l'amour des hommes dans la vie des femmes.

« Alors, dit-elle, vous pensez comme ça que vous serez plus heureux sur le bord de la grande route?

— Ici, dit-il, ce n'est pas une existence... »

Il montra les baraquements, l'ancienne briqueterie, le marécage.

« Il ne suffit pas de changer de place, dit-elle.

— C'est Marie-Jeanne qui l'a voulu.

— Elle n'a jamais bien su ce qu'elle voulait. »

Il n'avait jamais imaginé qu'on pût dire cela de Marie-Jeanne. Il protesta vivement.

« Quand elle a quelque chose dans la tête...

— Elle a surtout appris à savoir ce qu'elle ne voulait pas », dit la mère...

Elle eut un sourire moqueur.

« Vous n'entrez pas?

— Non, dit Busard. Merci. Vraiment non. Je repasserai tout à l'heure. »

Il enjamba son vélo et descendit jusque chez lui. Marie-Jeanne venait d'y déposer une lettre :

« *Mon cher Bernard, je viens de voir Chatelard. Qu'est-ce que tu as été lui raconter? Ce*

*n'est pas bien de ta part. Tu as assez voulu,
mais moi je n'ai jamais voulu, tu devrais te le
rappeler. Je sais ce que tu vas dire, puisque
Chatelard m'a tout expliqué. Mais il n'y a pas
d'excuse. Quand on ment là-dessus, on ment sur
tout et tu me mentiras aussi.*

« *Je préfère que tu ne viennes plus me voir.
Je sais que je te fais de la peine, mais ça te fera
moins de mal maintenant que plus tard.*

« *Tu prendras la gérance du snack-bar avec
une autre, ou tu ne la prendras pas du tout, ce
qui t'évitera bien des ennuis.*

« *J'y ai bien réfléchi, je ne t'aime pas. Il vaut
mieux le dire tout net. J'avais déjà réfléchi avant
que Chatelard ne me parle et j'étais arrivée à la
même conclusion, seulement je n'osais pas te
l'avouer. Je t'aime bien, mais je ne t'aime pas,
voilà la vérité.*

« *D'ailleurs je ne t'ai jamais dit que je t'aime.
Tu m'as pourtant souvent demandé de te le
dire. En ce qui concerne notre mariage, tu as
tellement insisté et tu as fait tant de choses que
j'ai fini par accepter. Mais maintenant c'est fini.
Ça vaut mieux pour tous les deux.*

« *Je sais que tu vas penser du mal de moi.
Je préfère cela plutôt que tu sois ensuite malheureux.*

« *Moi, je t'aimerai toujours bien. Mais pour le moment, c'est plus raisonnable qu'on ne se voie plus.*

                              « MARIE-JEANNE. »

Busard mit la lettre dans sa poche.

« Le ménage ne va déjà plus? lui demanda sa sœur Hélène.

— Elle t'a dit quelque chose?

— Oh! elle, on ne sait jamais ce qu'elle pense. Mais toi, tu as tout l'air d'avoir perdu l'étape contre la montre. »

C'était son habitude d'employer tout de travers des termes de cyclisme, quand elle plaisantait son frère.

« Marie-Jeanne est fatiguée, dit Busard. C'est tout. Je vais faire un tour avant de rentrer à la boîte. N'oublie pas de me laisser quelque chose à manger, pour quand je rentrerai, à quatre heures du matin... »

Il reprit son vélo et monta jusque chez moi, dans la montagne. Je l'avais revu deux fois après le Circuit. Le lundi à la clinique et nous avions commencé de faire amitié. La veille chez Jambe d'Argent, où il m'avait longuement raconté son projet et tous les obstacles déjà surmontés.

Il arriva après dix heures, tout en sueur. Il me tendit silencieusement la lettre. Je la lus et la passai à Cordélia.

« Aucune importance, dis-je à Busard. Fais semblant de rien. Et demain, elle te dira tout le contraire.

— Vous ne la connaissez pas!

— Ne prends jamais pour argent comptant les paroles d'une femme avec qui tu as une affaire d'amour.

— Ne l'écoutez pas, dit Cordélia. D'abord, c'est un fat. Ensuite, il ne pense pas ce qu'il dit.

— Si tu tiens vraiment à cette fille, dis-je à Busard, fais comme je te dis. Ne réponds pas à sa lettre. Ne va pas la voir. Et avant huit jours c'est elle qui viendra te chercher.

— Ne le croyez pas, dit Cordélia. Il va bientôt vous dire qu'il a une recette pour faire *ramper* les femmes. Mais ce n'est pas vrai. Il n'y croit pas lui-même. C'est seulement un fat. »

Nous disputâmes un moment ces divers points. Busard nous regardait silencieusement.

« C'est bientôt l'heure que je rentre à la boîte, dit-il... Si toutefois c'est encore utile que je gagne ces 325 000 francs...

— Ce qu'il attend, dit Cordélia, c'est que

nous fassions quelque chose pour le réconcilier avec Marie-Jeanne. »

Elle lui demanda ce qu'il avait raconté à Chatelard, qui pût tellement irriter la jeune femme.

Il raconta la discussion.

« Des enfantillages », dit Cordélia.

Je fus agacé qu'il eût floué le vieux délégué, dont j'avais souvent eu l'occasion d'apprécier l'intelligence claire et la fermeté d'âme.

« Tu n'es pas un homme, dis-je. Tu te laisses mener par le bout du nez par une petite garce. »

Cordélia réagit vivement. Nous discutâmes la question.

« J'ai promis de relever le Bressan à minuit, dit Busard.

— Ecoute-moi, dit Cordélia. Tu vas rentrer à l'usine, comme si rien ne s'était passé...

— C'est ce que je lui disais...

— ... parce que tu as pris un engagement avec ton copain, qui t'attend. Maintenant que tu t'es lancé dans cette affaire, tu ne peux pas y renoncer à cause d'une lettre écrite dans un moment de colère.

« ... Demain, j'irai voir Marie-Jeanne et aussi Chatelard. On mettra tout ça au point. Ne t'inquiète pas...

— Vous croyez vraiment qu'elle ne m'aime pas? demanda Busard.

— Je crois qu'elle est vexée.

— Mais c'est vrai, insista Busard, c'est vrai qu'elle ne m'a jamais dit qu'elle m'aimait.

— Elle a de la pudeur, dit Cordélia.

— Oui », dit Busard.

Quand il fut parti :

« Tu es en contradiction avec toi-même, dis-je à Cordélia. Tu m'as expliqué, il n'y a pas si longtemps, que Marie-Jeanne n'avait pas le « tour d'esprit à l'amour »...

— D'abord, je n'ai pas dit cela. Ensuite, dans la réalité la question se pose autrement...

— Toute cette affaire est absurde. Marie-Jeanne est sèche : comment peut-on aimer une femme qui pince les lèvres comme elle fait? Busard est un maladroit de l'avoir poursuivie pendant dix-huit mois, sans l'obtenir. Il me plaisait, tant qu'il voulait gagner le Tour de France. Maintenant qu'il fait des bassesses pour devenir boutiquier, il me dégoûte.

— Il faut voir cela avec leurs yeux.

— Si j'étais Busard, comme je préférerais la grosse Juliette à cette petite bourgeoise de Marie-Jeanne.

— On le sait, on le sait. »

Le lendemain matin, Cordélia se rendit, comme elle l'avait promis à Busard, chez son amie. Tout occupée à réfléchir à ce qu'elle allait lui dire, elle entra à l'improviste.

Marie-Jeanne se tenait dans un coin de la pièce, debout derrière sa chaise de travail, les mains posées sur le haut dossier, les joues enflammées.

Un homme était assis devant la table. Comme il tournait le dos à la porte, Cordélia ne vit d'abord que son crâne, une plaque chauve bordée de courtes boucles de cheveux blonds, et la nuque épaisse en bourrelet au-dessus d'un veston de tweed.

L'homme ferma vivement un carnet posé devant lui et le porta à la poche extérieure de son veston. Il dut pousser pour le faire rentrer. Le carnet était volumineux et bourré de papiers effrangés; la couverture de cuir fauve, ridée, éclatée par endroits, marquée aux coins. L'homme se leva. Il portait des pantalons de golf et des brodequins de chasse. Un entrepreneur, pensa Cordélia.

Il passa devant elle, sans la saluer, la tête enfoncée entre les épaules, les yeux baissés. Cordélia à voir sa nuque, son vêtement, ses brode-

quins s'était attendue à lui trouver l'air autrement assuré. Les gens du bâtiment se carrent
solidement sur le sol. Il grommela quelque chose
qu'elle ne comprit pas et sortit.

En passant devant la fenêtre, il secoua bizar-
rement la main.

« Sans adieu », cria-t-il.

Marie-Jeanne se précipita et ferma la fenêtre.
L'homme s'en alla d'un pas lourd. Sa démarche
reprenait de l'assurance à mesure qu'il s'éloignait.

« Qu'est-ce que c'est? demanda Cordélia. Qui
est-ce?

— Un dégoûtant », dit Marie-Jeanne.

Ses yeux brillaient.

« Je lui ai dit ses quatre vérités. Mais il
reviendra... »

Elle parlait avec une sorte d'exaltation. Elle
répéta :

« Ils reviennent toujours. »

Ce n'était pas la première fois qu'elle parlait
à Cordélia d'un certain genre d'hommes qui la
poursuivaient.

« Des hommes mariés, avait-elle une fois dit,
des vieux... »

Elle n'avait jamais prononcé de nom. Le plus
souvent, elle parlait collectivement; elle disait

« eux », « ils »... et d'elle-même, dans ses rapports avec « eux », « on », « vous », comme
si elle n'était pas Marie-Jeanne, mais la femme
en général :

« On leur dit : « Vous me dégoûtez. » Ils ne
se vexent pas, ils sortent leur portefeuille, ils
demandent : « Combien veux-tu? » On les
chasse, ils vous sautent dessus, ils vous frottent
le sale poil de leur museau contre le nez. Il faut
taper dessus pour les faire sortir... »

Nous nous étions demandé, Cordélia et moi,
si Marie-Jeanne ne parlait pas de périls ima-
ginaires. J'avais même conseillé :

« Laisse tomber. Même à des ouvrières il
arrive d'être névrosées. Le cœur pur que tu crois
avoir découvert n'existera qu'en l'an 2050. Au
demeurant, le travail à domicile n'est pas sain.
Si Marie-Jeanne allait à l'usine, comme les autres
filles de Bionnas, les moqueries de ses camarades
auraient dissipé depuis longtemps les soupirants
fantômes. Elle aurait couché avec Busard; cela
éclaircit le sang et dissipe les humeurs... »

Mais ce matin de mai, Cordélia venait de
surprendre chez son amie un des poursuivants.

« Qui est-ce? insista-t-elle.

— Mon propriétaire, Jules Morel, le patron
de Plastoform.

— Qu'est-ce que tu lui as fait? Il paraissait *knock-down*.

— Je lui en ai dit de terribles!

— Qu'est-ce qu'il écrivait sur son carnet?

— L'addition des loyers que je lui dois.

— Pourquoi ne paies-tu pas ton loyer? Tu m'as dit que ta mère et toi vous n'êtes pas dans la gêne.

— C'est lui qui ne veut pas que je le paie.

— Il n'est vraiment rien pour toi?

— Chaque fois qu'il a voulu m'approcher, j'ai tapé dessus.

— Il faut payer ton loyer, dit Cordélia.

— Je ne peux pas, il refuse mon argent.

— Envoie-lui un mandat.

— Et la quittance?

— Tu sais bien que le talon du mandat fait reçu, dit Cordélia avec indignation.

— Il ne m'embête pas assez comme cela? »
La voix de Marie-Jeanne monta.

« Et tu voudrais encore que je lui donne de l'argent? »

Cordélia me raconta tout cela.

Elle ajouta :

« Je n'ai pas du tout aimé Marie-Jeanne dans ce moment-là. Son visage avait une expression toute nouvelle...

— Précise, demandai-je.

— Comme ces mères qui se congestionnent en fouettant leur enfant.

— Jules Morel avait l'air d'un enfant battu?

— Non, dit Cordélia. Ma comparaison est mauvaise. Une fois franchi le seuil, quand il passa devant la fenêtre et cria « sans adieu », l'homme me parut venimeux... »

Elle réfléchit.

« J'y suis, dit-elle. Je t'ai vu une fois la même expression qu'à Marie-Jeanne tout à l'heure. A la Grange aux Vents, nous marchions dans un pré, en bordure d'un bois, un serpent s'est dressé devant toi, en sifflant. Tu te rappelles?

— Oui. J'ai fait un saut en arrière et j'ai poussé un cri.

— Tu as abattu le serpent d'un coup de ta canne ferrée. Tu lui as cassé je ne sais quoi, l'épine dorsale peut-être, mais les serpents ont-ils une épine dorsale? Enfin, il ne pouvait plus ni fuir, ni attaquer. Il était soulevé par de grands soubresauts, mais il retombait toujours au même endroit; on dit : les soubresauts de l'agonie... Mais tu as continué de le frapper à grands coups de canne. Puis tu as décrit des cercles autour de lui, sans t'approcher, en lan-

çant des pierres jusqu'à ce qu'il fût sectionné
en un grand nombre de tronçons. Alors tu as
écrasé la tête avec le talon... Tu suais, c'était à
croire que tu avais peur de ces petits morceaux
de serpent qui continuaient de se tortiller, chacun pour son compte... Tu ne m'as pas plu du
tout ce jour-là.

— Marie-Jeanne se défend, dis-je.

— Elle y prend trop de plaisir.

— J'ai compris, m'écriai-je. Marie-Jeanne tor-
ture ses poursuivants, comme le boy le colon. »

Cordélia protesta violemment.

« Jusqu'à nouvel ordre, c'est le colon qui bat
le boy.

— C'est pourquoi, quand les circonstances
permettent au boy de frapper à son tour le colon,
il perd tout contrôle. Il a trop d'humiliations
à venger. Il danse autour de l'agonisant, comme
moi autour du serpent.

— Tu n'as jamais été humilié par un serpent.

— J'ai certainement été humilié par un serpent, quoique j'aie oublié à quelle occasion. Ou
simplement humilié d'avoir eu peur de lui. Surtout si le cadavre est une ridicule petite chose,
comme ce serpent. Ou si l'on s'aperçoit que
l'ennemi était beaucoup moins fort qu'on ne

l'avait cru et qu'on s'est longtemps laissé mysti-
fier par des rodomontades.

— Les poursuivants de Marie-Jeanne sont
bien vivants!

— Elle a le jeu-maître, parce qu'ils sont de-
mandeurs. Le rapport se renverserait dans l'instant même où leur désir éveillerait un écho chez
elle. »

Fondamentalement, ce sont eux qui sont les
plus forts, parce qu'ils sont des hommes. C'est
pourquoi le comportement de Marie-Jeanne
avec ses soupirants te met mal à l'aise; le rapport
du maître et de l'esclave est toujours louche. Ils
ne peuvent vivre côte à côte qu'au prix de toutes
sortes de compromis et finalement ils se com-
plaisent dans ces compromis. Tu devrais lire
les pages que Hegel a écrites là-dessus... Il arrive
que le boy aime être battu. C'est vrai aussi des
animaux domestiques; j'ai connu un couple
horrible, un homme et son chien que la trique
excitait autant que l'odeur d'une femelle. Il
arrive aussi que le maître prenne plaisir à être
humilié par le boy. Mais le plus fréquent, c'est
qu'ils s'aiment et se haïssent, réciproquement
et simultanément; chaque geste de leur vie
commune prend ainsi un tour ambigu. La honte
a beaucoup plus de masques que la statue

de la tragédie. Ce sont des marques de chair.

— Marie-Jeanne n'est pas l'esclave de ses poursuivants.

— Jusqu'à présent et dans ces pays-ci, toute femme est un Nègre.

— Il y a d'honnêtes femmes.

— Ce sont les *bons Nègres*.

— Je suis pour la révolte des *bons Nègres*, dit Cordélia.

— Un bon sujet pour le théâtre, dis-je: le colon qui s'aperçoit, dans le moment même où éclate la rébellion, qu'il n'y a plus de *bons Nègres*.

— J'espère que ce seront les plus féroces, dit Cordélia.

— Pour que la pièce soit bonne, dis-je, il faudrait que le colon comprenne pourquoi ce sont nécessairement les *bons Nègres* qui deviennent les plus féroces...

« Nous connaissons une fille de colons. Elle a fait ses études secondaires dans une petite ville du Vietnam où habitaient sa mère et son beau-père. Au collège, elle s'était particulièrement liée avec un jeune vietnamien, N'Guyen, qu'elle savait en relations avec le Vietminh. Elle était tout à fait d'accord avec lui sur la nécessité de lutter pour la libération des peuples colo-

niaux. Ensemble, ils lisaient aussi des poètes,
Baudelaire, Rimbaud, Desnos, Prévert. Une
nuit, la rébellion gagna la petite ville. Le matin,
elle découvrit son beau-père lié sur une chaise
du bureau, et toute la maison sens dessus dessous. Elle haïssait son beau-père et ne prit pas
l'affaire au tragique. On entendait des rafales
de mitraillettes dans les rues; elle a du cœur
et elle ne trembla pas. C'était N'Guyen qui
commandait les insurgés qui avaient pénétré
chez elle. Elle alla vers lui :

« — Vous en faites un chahut... »

« Il la regarda. Elle était en tenue de tennis,
la raquette sous le bras, les cheveux au vent.

« Elle riait, l'air crâne.

« — Rentre dans ta chambre, dit-il rude-
« ment.

« — En voilà des manières... »

« Un coup de feu claqua, tout proche.

« — Quel potin... »

« Il lui cracha au visage.

« La fille du colon est rentrée en France.
Elle travaille, pour un salaire. Elle a beaucoup
réfléchi. Elle n'en finit pas de méditer sur ce
crachat qui fut le début de son apprentissage
de la dialectique du maître et de l'esclave. « J'ai
« compris, dit-elle, que tous les Blancs sans

« distinction sont coupables à l'égard des Viet-
« namiens... »

« Tout homme, dis-je à Cordélia, est cou-
pable à l'égard de toutes les femmes.

— Tu m'ennuies, dit-elle. Comment allons-
nous faire pour réconcilier Marie-Jeanne et
Busard?

— Tu n'y as donc pas réussi tout à
l'heure?

— Après ce qu'elle m'a raconté du vieux
Morel, je ne me suis pas senti *en forme* (comme
diraient tes amis les coureurs) pour parler de
Busard.

— Es-tu sûre que Marie-Jeanne a toujours été
aussi sévère avec le vieux Morel?

— Absolument sûre, dit violemment Cordélia. N'as-tu donc pas regardé sa chambre? Elle
dort dans le lit vermoulu qu'elle a hérité de sa
grand-mère. Ni frigidaire, ni machine électrique, ni machine à laver. *Un poste* de radio de
quatre sous. Il n'y a pas chez elle un seul objet
de *valeur,* comme disent les petits bourgeois.
Et elle s'habille elle-même, avec des coupons,
qu'elle fait tailler par une voisine qui a appris
la coupe.

— Voilà qui est sans réplique. »

Cordélia et moi, nous avons l'habitude de

faire l'épreuve de l'intégrité des syndicalistes,
des hommes d'affaires, des politiciens et des
jeunes femmes, en confrontant, aussi impitoya-
blement qu'un contrôleur des contributions,
leur train de vie et leurs gains avoués.

Busard prit son quatrième poste, le vendredi
matin, à huit heures, le Bressan à midi.

Après le déjeuner, Busard fit confidence de
son malheur à sa sœur, et lui fit lire la lettre de
Marie-Jeanne. A six heures, Hélène Busard alla
attendre la mère de Marie-Jeanne à la sortie de
l'atelier et eut un entretien avec elle. Cordélia
cependant allait sonder le délégué Chatelard,
qui était de nos amis, puis se rendait chez
Mme Lemercier, et de nouveau auprès de Marie-
Jeanne.

Dans la matinée du samedi, plus de dix per-
sonnes, y compris la mère, travaillèrent à la réconciliation.

Hélène Busard pourtant avait été hostile aux
fiançailles de son frère avec Marie-Jeanne, « une
mijaurée ». La mère tenait pour assuré que
« le commerce c'est l'esclavage... Toi qui aimes
tant le cinéma et le bal, plus de samedi, ni de
dimanche ». Et le lecteur se rappelle avec quelle
chaleur, huit jours plus tôt, Cordélia avait dé-

fendu le droit de son amie à la liberté. Maintenant, elles s'entêtaient toutes à les marier. Chatelard lui-même vint à la rescousse, se faisant scrupule d'avoir été à l'origine de la brouille : « J'ai peut-être été un peu dur avec le petit. Il faut être humain. »

Tel est le ton de l'époque. Les affaires du cœur n'ont plus de rapport avec la grandeur d'âme, comme dans Corneille. Le « courrier du cœur » a remplacé le code de l'honneur. On ne s'émeut pas du goût des jeunes gens pour l'héroïsme, on s'attendrit sur leurs bégaiements. Le jour même où l'on entasse les fusillés, hommes, femmes et enfants, dans les fosses communes, même les magazines qui s'indignent des fusillades, publient sur leur couverture des photos de nourrissons. Cette société retombe en enfance. C'est la règle à la veille des grandes révolutions. Saint-Just et Robespierre eux aussi commencèrent par écrire des fadaises.

Le samedi à midi, Cordélia me fit le récit des assauts qu'avait subis notre amie. On lui avait dit et répété : « Tu ne peux briser le cœur de ce garçon. Voilà dix-huit mois que vous vous fréquentez : quand tu as dit oui, tu savais ce que tu faisais. On ne rompt pas un mariage pour une vétille, etc. » Marie-Jeanne n'avait pas répondu aux arguments. Elle s'était bornée à secouer la tête, en disant « non ».

« Pourquoi? lui demandait-on.

— J'ai réfléchi. »

Au début de l'après-midi de ce même samedi de la semaine où Busard commença de travailler à la presse à injecter, descendant à Bionnas, je passai devant la Cité Morel, et vis Marie-Jeanne seule, dans l'encadrement de la fenêtre, un ouvrage dans les mains. J'entrai.

« Vous aussi! s'écria-t-elle.

— Non, non. Je déteste les snack-bars... »

Elle leva les yeux vers moi. Des yeux du bleu qu'on dit d'émail, qui accrochent la lumière et qui la renvoient, mais qui n'ont ni profondeur, ni vivacité.

« Passer sa vie à faire cuire des hot-dogs, continuai-je. Aux heures creuses, vous serez même obligée de faire la conversation avec les clients. « Moi je préfère la Simca. » « Moi j'en tiens toujours pour la traction »...

Tout en médisant des snack-bars, je pensais à des yeux que j'aimais ou que j'avais aimés. Des yeux marron, brillants, mobiles, le regard qu'à l'étranger on dit français, qui perce, qui décompose la lumière et les êtres, et voilà tous les éléments étalés devant lui; on ne peut rien lui cacher. L'œil noir des Juives d'Orient, un noir humide, on nage à minuit dans une mer lourde, on a envie de plonger la tête dans les cheveux, sous les aisselles, des yeux qui ont une odeur de chevelure mouillée. J'ai aussi aimé à la passion des yeux dont je ne pouvais me rappeler la couleur, parce que c'était leur substance qui les faisait incomparables; il fallait des images bibliques pour les décrire; ils aveuglaient comme l'épée de l'ange qui interdit l'entrée du paradis.

Mais les yeux du bleu qu'on dit d'émail? C'était comme si Marie-Jeanne avait posé de petites cuirasses sur ses prunelles. Les yeux de Marie-Jeanne : une aile de coléoptère dans chaque orbite, un coléoptère lisse, net, brillant, poli, un coléoptère de joaillerie, soigneusement poncé.

Je continuai de médire des snack-bars. Je la regardais.

C'est tout le visage de Marie-Jeanne, qui est toujours exactement poncé. Son front bombé, lustré comme les rondes bosses des vieilles argenteries. Les cheveux aux plis réguliers, comme s'ils étaient ondulés par un vent domestiqué, perpétuellement semblable à lui-même. Le bas du visage poupin, sans grande signification, mais toujours frais comme un fruit qui vient d'être pelé. A quoi répondent les bas à mailles fines, exactement tirés, les chemisiers impeccables, légèrement empesés, les jupes ajustées. Marie-Jeanne a une singulière unité de style. Mais rien de tout ce que j'examinais ne suffit à créer l'obsession du plaisir et ne m'expliquait l'obstination de ses poursuivants.

« Alors, demande-t-elle, vous pensez que j'ai raison d'avoir rompu avec Busard?

— Je ne pense rien, m'écriai-je... A vrai dire j'aime beaucoup Busard et je préférerais que vous ne le fassiez pas souffrir.

— Il souffre vraiment?

— Je n'en sais rien. Je ne comprends rien à l'amour... »

Elle rit. Un rire plaisant, parce qu'elle a de jolies dents. Mais pas un de ces rires éclatants, explosion de vie, qui me donnent envie de vivre encore mille ans.

Je lui dis n'importe quoi sur l'amour, et continuai de l'examiner.

Elle a les cuisses longues, mais pas de cette longueur à chaque pas émouvante comme le premier tour de bielle d'une locomotive de grand parcours. Il y a des cuisses qui se meuvent

dans le creux de la poitrine des hommes. Il y a
des cuisses dont la marche est majestueuse et
angoissante comme le premier jour d'une guerre.
Marie-Jeanne, grande, mince, à d'heureuses pro-
portions, rien de plus.

Toutefois le contraste entre la popeline légèrement empesée du chemisier et la batiste délicate des *dessous* qui apparaissaient dans l'échan-
crure, attira mon attention. Une batiste blanche,
ni molle, ni cassante, *du vrai linge,* comme en
portaient les jeunes filles des pensionnats, ourlé
d'un point très serré et brodé de jours en
couronne.

Marie-Jeanne se tenait légèrement penchée
sur son ouvrage. Le souffle faisait gonfler le sein
et la batiste découvrait à chaque pulsation une
peau blanche, très fine, imperceptiblement
veinée de mauve. Une intimité bouleversante
comme une naissance ou comme une mort. Mon
œil remonta vers les épaules, qui sont marquées
d'un léger creux; je pensai : « Comme elle a
l'épaule délicate! »

Je commençais de comprendre pourquoi les
poursuivants rôdent autour de sa demeure. Les
hommes d'âge mûr et les vieillards sont fascinés
par les jeunes femmes pleines de retenue, les
corps fragiles sous les vêtements stricts, les peaux

très blanches dans les linges sans taches
qu'exigent la chirurgie et l'amour, les épaules
délicates, la saignée du coude et la saignée du
genou quand la pondération du geste les dérobe
perpétuellement à la vue.

Mais les jeunes gens et les hommes pour qui
l'amour n'est pas l'objet d'un souci constant
réagissent plus communément aux corps hâlés
par le soleil ou dorés par les lumières des établissements de nuit.

Par suite de quelles circonstances Busard était-
il devenu sensible au charme difficile de Marie-
Jeanne?

Busard, pensai-je, aime le luxe. Comme tous
les garçons, il désire une voiture, mais il n'a
jamais rêvé d'une quatre chevaux, il veut une
Cadillac. Il avait juré d'être champion; il a le
goût des exploits. Il a choisi Marie-Jeanne, parce
que de toutes les femmes qu'il connaît, elle est la
plus précieuse; ensuite le mécanisme de la passion a joué; elle lui a donné de l'espoir, elle
a dit non, elle a dit oui, elle s'est reprise; le voilà
enchaîné. J'imaginai que le désir tenait peu de
place dans sa prédilection; les héros ne sont pas
nécessairement des voluptueux.

« Les jeux sont faits, dis-je à Marie-Jeanne.
L'amour des autres lie bien davantage que le

sien propre. Bon gré, mal gré, vous serez la femme de Busard.

— Vous le pensez?

— Il n'est plus seul, dis-je. Toute la ville se mêle de vous rappeler vos serments.

— Je n'ai jamais fait de serments!

— Les serments qu'on vous prête... Toute la ville vous aime d'avoir provoqué Bernard à travailler pour vous cent quatre-vingt-sept jours et cent quatre-vingt-sept nuits consécutives. »

Elle serra son ouvrage contre elle. Elle se recula contre le haut dossier de sa chaise de travail.

« Qu'est-ce qu'ils me veulent donc? » demanda-t-elle.

Elle s'était repliée sur elle-même, l'air agressif.

J'avais vu la même expression, dans une maternité, sur le visage d'une jeune femme qui venait d'accoucher après beaucoup de souffrances. Son mari arriva et esquissa un geste de tendresse. Elle se recula contre le mur où était accoté son lit et jeta sur l'homme un regard de rancune. « Jamais plus », gronda-t-elle.

« Pourquoi ne me laisse-t-on pas tranquille? » demanda encore Marie-Jeanne.

Arriva sa marraine, contremaîtresse de l'atelier où travaille sa mère. Elle se leva pour l'accueillir; elle a de l'éducation.

« Vous prendrez bien une cerise? »

Je sortis.

En passant devant la fenêtre, j'entendis la marraine demander :

« Alors, ma petite Marie-Jeanne, qu'est-ce qu'on me raconte?... »

Le dimanche soir, on vit Marie-Jeanne au bal avec Busard. Il partit à minuit moins cinq pour prendre la relève du Bressan. Elle partit en même temps que lui. On n'aurait pas compris qu'elle restât danser pendant que son fiancé accomplissait des prouesses pour *assurer leur avenir.*

V

Afin de permettre au Bressan de courir pour la fête patronale de son village, Busard accepta de travailler, le premier dimanche de septembre, de huit heures du matin à dix heures du soir. Le paysan n'avait pas encore vendu son vélo; la chose était donc possible et lui vaudrait la gloire cantonale, à quoi il tenait le plus après l'argent. Il ne croyait pas s'être *rouillé*.

La conversation qu'ils eurent à ce sujet, quinze jours plus tôt, fut la première depuis qu'ils travaillaient en équipe. Ils ne se saluaient même pas au moment de la relève, se donnant juste des indications concernant le travail.

« Il y a des saloperies dans le mélange aujourd'hui. Je n'en finis pas d'ôter des tétons. J'ai réclamé. Fais du foin! »

Aussitôt sorti de l'atelier, le Bressan rentrait chez les parents de Busard qui lui faisaient pension pour 500 francs par jour, comme il avait été convenu. Il cassait la croûte sans dire un mot, puis se retirait dans sa chambre, qui était aussi celle de Busard. Même machine, même lit, les deux garçons eussent été dans la plus grande intimité du monde, si jamais ils avaient eu l'occasion de se rencontrer.

Avant de s'étendre sur le lit, le Bressan ne manquait jamais d'examiner quelque détail de la place de la Concorde en corne, chef-d'œuvre du père Busard, posée sur la table du fils. Elle avait été sculptée au tour et à la fraiseuse, d'après une carte postale. Tout y était, même les chaînes autour de l'obélisque, les voitures et les autobus dans le sens giratoire, les feux rouge, jaune et vert, qu'on pouvait allumer tour à tour, en appuyant sur un bouton, également en corne, et le sergent de ville de service au coin de la rue Royale.

« Ça n'a pas de prix, avait expliqué Mme Busard. Mais pour rien au monde le père n'accepterait de le vendre. Il a travaillé dessus tous les soirs pendant trois ans, juste après notre mariage. »

Hélène, la sœur de Busard, travailleuse au tour dans l'atelier paternel, clignait de l'œil vers le Bressan, chaque fois qu'il était question du chef-d'œuvre. Le garçon se demandait pourquoi, ne comprenant pas l'ironie; il admirait énormément cette place de la Concorde. Hélène est contre l'artisanat. A peine passé son certificat d'études, elle avait commencé d'affirmer, chiffres en main, que le travail à façon rapporte mieux que les plus savantes sculptures sur corne. On la faisait taire, « tu n'es qu'une enfant ».

Mais après que la presse à injection se fut généralisée, il avait fallu spécialiser dans le polissage des montures de lunettes pour le compte des industriels de la matière plastique, l'atelier familial où travaillaient de concert le père, la mère et la fille.

Pendant la morte-saison, le père sculptait dans la corne des edelweiss et des chamois pour les marchands de souvenirs de Chamonix, simple appoint.

Le Bressan découvrait chaque jour quelque nouveau détail de la place de la Concorde, par exemple une gerbe de fleurs sur les genoux de la ville de Strasbourg.

Puis il s'étendait sur le lit et s'endormait aussitôt, le plus souvent tout habillé, pour être prêt à courir à l'atelier dès que l'un ou l'autre des Busard le réveillerait. Il ne buvait plus, ne fumait plus. Sauf la pension, il mettait la totalité de ses paies dans une enveloppe, qu'il cachait sous le linge, dans le tiroir de l'armoire

qui avait été mis à sa disposition, et dont il
gardait toujours la clef sur lui; Hélène s'irritait
chaque semaine, quand elle apportait le linge
lavé et repassé, de trouver le tiroir fermé : « Est-
ce qu'il croit que nous voulons lui prendre son
argent? Ces pecnots ne savent pas vivre. » Le
Bressan avait une grande capacité de sommeil.
Il dormait plus de dix heures par jour pendant
toute cette période.

Busard, par contre, dormit très peu. Ses heures
de pause étaient midi-quatre heures, huit heures-
minuit, quatre heures du matin-huit heures.

A midi, il déjeunait avec ses parents. Le repas
s'achevait rarement sans discussion avec le père
qui n'admettait pas qu'on travaillât vingt-quatre
heures sur vingt-quatre pour fabriquer des corbillards-carrosses. L'humanité avait-elle un si
pressant besoin de corbillards-carrosses? Il parlait volontiers de l'humanité. Il s'était naguère
violemment élevé contre la vocation cycliste de
son fils; les sports détournent la jeunesse des
problèmes vraiment importants, par exemple la
défense de la laïcité. Lui, à vingt ans, il se bat-
tait déjà pour les lois républicaines. Pourquoi
Busard avait-il toujours refusé de travailler dans
l'atelier familial? L'artisan est indépendant.

« Si j'ai envie de pêcher à la ligne, je prends

ma canne à pêche, sans demander rien à personne.

— Ça veut dire que tu laisses maman et
Hélène faire ton travail. »

Le ton montait rapidement. Le père Busard
n'approuvait pas non plus le projet du snack-bar.
Il disait comme Chatelard : « Tu te donnes bien
du mal pour devenir larbin. »

Enervé par la discussion, Busard n'arrivait
pas à s'endormir à l'heure de la sieste. Parfois
il prenait son vélo et allait tourner sur le stade,
seulement pour ne plus penser à rien.

La pause des huit heures-minuit était consacrée quatre jours sur sept à Marie-Jeanne, le
mardi et le jeudi chez elle, comme par le passé,
le samedi au cinéma et le dimanche au bal. Depuis la réconciliation à laquelle tant de per-
sonnes avaient collaboré, leurs fiançailles étaient
officielles; toute la ville suivait l'accomplisse-
ment de la prouesse entreprise pour gagner la
caution de la gérance du snack-bar; on se demandait : tiendra, tiendra pas? on faisait des
paris. Il n'est pas rare que des ouvriers aux
presses travaillent onze heures par jour, mais
pour une courte période. Les huit-fois-quatre
pendant plus d'une demi-année frappaient les
imaginations.

Leurs mardis et leurs jeudis, Busard parlait beaucoup. Il n'en finissait plus de supputer les bénéfices du snack-bar, de calculer l'âge où ils deviendront propriétaires, celui où ils feront construire un second établissement dont ils confieront la gérance à qui donc? Il s'imagina même à la tête de toute une chaîne de snack-bars, de Paris jusqu'à Nice, chacun portant un numéro qui correspondra au kilométrage depuis Paris. Aux environs de Lyon le snack-bar sera exactement à mi-chemin entre les deux villes, si bien que le chiffre aura la même signification pour les voyageurs venant de Nice que pour ceux venant de Paris; ce sera curieux. Au demeurant les numéros de leurs snack-bars ne seront jamais dépourvus de sens; pour les uns, ils signifieront : j'ai déjà fait tant de kilomètres; pour les autres : il me reste à faire tant de kilomètres; ce sera amusant. Il sera même possible de signaler chacun de leurs établissements par les deux chiffres; par exemple entre Auxerre et Avallon : snack-bar 190-743, ou même simplement les deux chiffres, sans l'indication snack-bar, en tubes au néon, rouges pour la distance depuis Paris, bleus pour la distance depuis Nice; ce sera original.

Marie-Jeanne écoutait distraitement, en bro-

dant ses jours. Elle ne relevait pas les incon-
gruités. Elle savait qu'il ne faisait que répéter
les ratiocinations qui lui permettaient de sur-
monter l'ennui du service de la presse à injecter.
Toutes les femmes de Bionnas connaissent ce
délire rationnel, caractéristique de l'état intermédiaire entre la veille et le sommeil provoqué
par le travail prolongé aux presses. Elle avait
envie de lui dire « tais-toi », et peut-être de le
cajoler jusqu'à ce qu'il s'endorme complètement.
Elle ne le faisait pas, respectant son amour-
propre d'homme.

Quand ils s'étendaient sur le lit, à onze
heures, selon leur tradition, il mettait moins de
fougue dans ses attaques et elle moins de fermeté
à le repousser. Fin août, elle lui céda. Elle pensa
qu'il méritait bien cela. Il dut partir presque aussitôt, le Bressan, à l'atelier, attendant la relève.

Il ne dormait qu'après quatre heures du
matin. Mais il était réveillé dès six heures par
sa mère et sa sœur qui faisaient bruyamment le
café et le ménage.

Il maigrit. Les creux à la base du nez firent
apparaître davantage qu'il a les yeux exceptionnellement rapprochés, ce qui accentua son air
buté, son regard de garçon prêt à faire un coup
de tête.

Le premier dimanche de septembre fut très
chaud. C'était la morte-saison et deux presses
seulement fonctionnaient. Celle de Busard,
parce que Paul Morel ne pouvait pas revenir
sur la promesse faite et interrompre un exploit
dont toute la ville suivait le déroulement. Une
autre pour l'achèvement d'une commande de
primes pour une marque de café; un lion, une
girafe, un orang-outang, un renne de Laponie,
un crocodile, un puma du Chili, étaient inscrits
dans le moule, disposés radialement autour de la
carotte, et injectés tout d'une pièce. L'ouvrier
les séparait pendant que la charge suivante
refroidissait. Toute une arche de Noé s'accumu-
lait derrière lui.

Une nouvelle presse venait d'être introduite
dans l'atelier, une machine entièrement automatique qui fabriquait, sans qu'on y mît la
main, de jolis gobelets du même bleu que les
yeux de Marie-Jeanne. Quand le ventre s'ouvrait, un peigne se déclenchait et poussait sur un
plan incliné l'objet achevé, qui glissait dans
une caisse. Il arrivait cependant que le conduit
éjecteur fût obstrué par un téton; ce n'était pas
de la faute de la machine, mais de la matière
plastique dont le mélange n'est pas toujours
homogène. Il arrivait aussi que la matière collât

dans le moule. Un œil électronique décelait ces
faux pas dans l'instant même, bloquait net tout
le mécanisme de la presse et alertait le surveillant en déclenchant un bruiteur, dont le son
était analogue au signal *occupé* sur le téléphone.
Le surveillant venait faire sauter le téton ou
nettoyer le moule, et la presse se remettait toute
seule en route.

Ce genre d'incidents étant rare, un seul surveillant aurait suffi pour une douzaine de machines; encore eût-il pu lire, ou rêver, ou même
dormir, l'œil électronique veillant pour lui;
voilà qui remplacera dans l'avenir le travail à la
chaîne; les *Temps Modernes* de Charlie Chaplin
ne seront plus qu'un témoignage du Moyen-Age
de l'industrie.

Mais Plastoform n'avait encore qu'une seule
machine entièrement automatique, ce qui ne
justifiait pas le salaire d'un surveillant. Paul
Morel l'avait confiée à l'équipe Busard-Bressan.
Il donnait à chacun d'eux mille francs par mois
pour le travail supplémentaire. Il avait trouvé
gentil de collaborer ainsi à sa manière à l'exploit
des deux garçons. A son père, il avait fait valoir
que la maison y gagnait aussi, puisqu'il aurait
fallu donner mille francs à chacun des trois ouvriers des postes normaux.

Ce premier dimanche de septembre, les heures de l'après-midi furent particulièrement pénibles. Busard s'endormit deux fois, les mains sur la grille de sécurité. La première fois, il fut réveillé par l'ouvrier à l'arche de Noé, qui le siffla, de l'autre bout de l'atelier; la seconde fois, par le bruiteur de la presse automatique. Il avait tenu bon à la promesse qu'il s'était faite de ne jamais truquer le coupe-circuit de la grille et il s'en félicita.

A quatre heures, l'autre ouvrier partit. Busard lui demanda d'aller prévenir Marie-Jeanne qu'il n'irait pas la rejoindre au bal, comme il l'avait promis; il n'aspirait plus qu'à dormir. Il resta seul dans l'atelier.

Il avala deux pilules de maxiton. L'usage des dopants à base d'amphétamine d'abord pratiqué par les étudiants pendant les périodes d'examens, est devenu commun chez les ouvriers depuis les années 1948; à Bionnas, on les utilise fréquemment pour vaincre la somnolence d'après la sixième ou septième heure du travail aux presses.

Paul Morel passa vers six heures.

« Alors, content? demanda-t-il en tapant sur l'épaule de Bernard.

— J'étais en train de me demander pourquoi

tu n'équipes pas toutes tes machines d'un œil
électronique et d'un peigne éjecteur. »

Il leva la grille, détacha le carrosse.

« Dix ouvriers suffiraient à faire marcher
toute l'usine », répondit Morel.

Busard baissa la grille, trancha la carotte.

« Tu y gagnerais, dit-il. Tu expliques toujours que c'est la main-d'œuvre et les charges
sociales qui te ruinent.

— Qui ruinent mon père, dit Paul Morel.

— Qui ruinent ton père », répéta Busard.

Il sépara les carrosses, les jeta dans la caisse.

« Les neuf dixièmes des ouvriers seraient
condamnés au chômage, dit Paul Morel.

— Forcément, dit Busard, mais je ne crois
pas que ce soit ce qui vous arrête. »

Il attendit que le voyant rouge s'allumât.

Le maxiton lui avait aiguisé l'esprit et il se
posait des problèmes auxquels il n'avait pas
l'habitude de réfléchir.

« Si vos concurrents automatisent entièrement
leurs usines, poursuivit-il, ils rouleront à moins
de frais que vous. Vous ne pourrez pas tenir...
Tu m'as souvent dit que la concurrence t'in-
terdisait la philanthropie...

— ... l'interdit à mon père, interrompit Morel. Si ce n'était que moi, la maison s'en irait à vau-l'eau.

— Tu as tout de même bien dû faire le calcul, puisque moi, qui ne suis pas dans le coup, je viens de le faire. Si vos concurrents s'automatisent... »

Il leva, détacha, baissa, trancha...

« Ton calcul est faux, dit vivement Morel.

« Une machine qui fonctionne vingt-quatre heures sur vingt-quatre, doit être amortie en quatre ans.

« Si j'inscris d'un côté le salaire des ouvriers occupés à la semaine pendant ces quatre ans, et de l'autre côté le prix du dispositif d'automatisation auquel s'ajoutent le profil normal du capital supplémentaire ainsi immobilisé et le dixième du salaire précédent, à raison d'un surveillant par dix machines, je m'aperçois que c'est la presse entièrement automatique qui me fait le prix de revient le·plus élevé. C'est un peu difficile à comprendre...

— Je crois que je comprends », dit Busard.

Il sépara, jeta, attendit...

Paul Morel désigna d'un mouvement du pouce la machine qui éjectait l'un après l'autre, avec un petit bruit mat, les gobelets du bleu qu'on dit d'émail.

« J'ai fait le calcul pour cette presse. Si j'inclus dans le prix de revient une part des frais généraux de l'usine proportionnelle au capital investi dans la machine, je m'aperçois que je perds dix centimes par gobelet.

— Pourquoi continues-tu d'en fabriquer?

— Pour faire plaisir aux clients.

— Je ne comprends plus.

— Mon père t'expliquerait mieux... »

Busard leva la grille, détacha la carotte, sépara les deux carrosses, les jeta dans la caisse, attendit que le voyant rouge s'allumât.

Paul Morel lui tendit du feu, Busard tira une bouffée. Le voyant s'alluma; il leva la grille...

« Tu sais que Juliette est une garce, dit Paul Morel.

— Ce n'est pas nouveau.

— J'avais refusé de l'emmener aujourd'hui aux régates de Genève... sans raison, comme ça, par entêtement, parce que j'avais d'abord dit non... Elle a voulu se venger. Elle s'y est fait conduire par mon père. »

Busard leva, détacha, baissa...

« Ça m'étonne, dit-il. Elle aime bien rigoler, mais elle ne chasse pas dans les vieux.

— C'est bien ton impression? »

Busard trancha, cassa, jeta...

« Ce n'est pas le genre de Juliette, dit-il.

— Pour moi, dit Paul Morel, elle fait marcher mon père. Et moi, par la même occasion. Mais elle ne lui donne pas ça... »

Il fit le geste de casser l'ongle de son pouce avec les dents.

Busard attendait que le voyant rouge s'allumât.

« Pour coucher avec ton père, dit-il, il faut être salope.

— Il y en a bien d'autres qui couchent avec, mais Juliette, il faudrait que je le voie pour le croire.

— Ce n'est pas possible qu'elle soit pute à ce point-là, dit Busard.

— Tout de même, dit Morel, tu as de la chance de ne pas t'être laissé accrocher par elle. Je n'ai jamais connu pareille garce.

— Pour être verni, je suis verni », dit Busard.

Le voyant rouge s'alluma.

« Bon courage, dit Morel. Tu es rudement verni. »

Il s'en alla.

Busard leva, détacha, baissa, trancha, sépara, jeta, attendit.

La nuit tomba, qui amena un peu de fraî-

cheur. Busard alluma le tube bleuté de la
lampe à fluorescence la plus proche de la machine. Tout le reste de l'atelier resta dans
l'ombre. Les baies vitrées étaient ouvertes sur
le parterre de bégonias que le clair de lune
éclairait. De la ville parvenait le bruit lointain
de l'orchestre d'un bal.

La petite presse entièrement automatique
éjectait régulièrement ses gobelets : cliquetis du
peigne qui se déclenche et soulève l'objet moulé,
bruit mat du gobelet qui tombe dans la caisse.
La grosse presse semi-automatique chuintait à
l'injection de chaque carrosse rouge géranium.

Busard guettait le voyant rouge.

« Qu'est-ce que je fous là? » demanda-t-il à
voix haute.

Il continuait de réfléchir, aidé par l'effet per-
sistant des deux pastilles de maxiton et peut-
être par la fatigue dominée. Il réfléchissait qu'il
coûtait moins cher qu'un dispositif d'automatisation. D'un côté le peigne éjecteur et l'œil
électronique, de l'autre côté Bernard Busard,
son grand corps maigre, ses muscles de coureur,
son cerveau, son amour pour Marie-Jeanne Lemercier; c'était Bernard Busard qui valait le
moins.

Il valait un peu plus qu'un piston injecteur

et le servo-moteur qui le meut, puisqu'on avait remplacé la presse à main par la presse semi-automatique. Mais il valait moins que la somme des prix de la presse semi-automatique et du dispositif d'automatisation intégrale. Son prix était inscrit entre deux limites bien précises. Il aurait pu calculer exactement ce qu'il valait d'argent.

« Putain de moi-même », dit-il à voix haute.

Il leva, détacha, baissa, trancha, sépara, jeta, attendit. Il continuait de réfléchir.

Si le prix des presses entièrement automatiques vient à baisser, à tomber au-dessous de son prix à lui... Neuf ouvriers sur dix n'auront plus de travail, et, pour ne pas perdre son emploi, le dixième ouvrier acceptera de travailler au rabais. Le prix de l'heure d'homme baissera. Donc Bernard Busard vaudra encore un peu moins d'argent. Et Morel père et fils, même s'ils s'y mettent de tout leur cœur, ne pourront pas le revaloriser, puisque s'ils augmentent leur prix de revient, leurs concurrents les ruinent.

« Il n'y a rien à faire », dit-il à voix haute.

Il trancha, sépara, jeta, attendit.

Il se demanda ce que Chatelard lui répondrait. Au fait il le savait. En 1954, les données fondamentales des problèmes du travail, des prix et des salaires étaient familières à la plupart des jeunes gens des villes ouvrières, même à ceux qui comme lui ne lisaient que les rubriques sportives des journaux; depuis l'enfance, ils en avaient entendu discuter à la table de famille. Chatelard lui dirait qu'il venait de décrire l'une des contradictions du régime, qu'il y avait une solution pour les travailleurs et qu'il n'y en avait qu'une : changer le régime. Mais quand?

Il leva, détacha, baissa...

Il se rappelait les discussions entre son père et Chatelard.

« Vous avez loupé le coche en 36, disait le père Busard. Et vous l'avez de nouveau loupé en 44.

— Les conditions nécessaires n'étaient pas réunies, répondait Chatelard. Si nous avions pris le pouvoir, nous nous serions fait battre et le mouvement ouvrier aurait été anéanti pour des années, comme après la Commune. »

Le souvenir de l'interminable débat l'agaça jusqu'à lui soulever le cœur.

Il leva, détacha, baissa...

Busard refuse également pour lui la vie de son père et celle de Chatelard. Il n'accepte pas de se donner l'illusion de la liberté en fabri-

quant à perte des objets démodés ou en allant
à la pêche à la ligne, pendant que les femmes
polissent son lot de montures de lunettes; le
temps de l'artisanat est passé. Mais il se refuse
à sacrifier son présent, tout ce qu'il possède,
pour une révolution dont la date est toujours
remise. Il a trouvé la solution, la seule.

« Moi, je me tire », dit-il à voix haute.

Il lève, détache, baisse...

En contraste avec la brise fraîche de la nuit,
une odeur d'huile chaude monte de la machine.
C'est l'odeur de Bionnas. Il faut quitter au plus
vite cette ville puante. Busard ne pénétrera jamais plus dans une usine. Sur la Nationale n° 7
glissent les longues voitures. Busard est impa-
tient d'avoir tout ce qui permet d'être heureux.

Il tranche, sépare, jette, attend... le voyant
n'en finit plus de s'allumer.

Depuis plus de trois mois qu'il sert la presse
à injecter, Busard n'a encore tissé que la moitié
de son allée rouge de carrosses-corbillards. Le
voyant n'en finit plus de s'allumer. Pourquoi
les ingénieurs n'ont-ils pas inventé un procédé
pour refroidir plus vite la matière plastique?
Plus vite! Busard est capable d'accélérer indéfiniment la cadence. Il est extrêmement pressé de
s'en aller. Il pense à la mort.

Quand à force d'avoir été battu, l'homme a admis qu'il est inutile d'essayer d'être heureux, il cesse de penser à sa fin. C'est qu'il a déjà cessé de vivre. Mais les jeunes hommes pensent fréquemment à la mort. De même le coureur à ses débuts est obsédé par *le délai d'arrivée;* s'il ne franchit pas la ligne d'arrivée dans le temps limite, il ne sera plus classé, il aura couru pour rien. Pour les jeunes hommes, chaque seconde morte raccourcit le délai d'arrivée. Le temps passé auprès de la presse à injecter est un temps mort. S'il devait servir la presse à injecter jusqu'à sa dernière heure, Busard mourrait avant d'avoir commencé de vivre. Voilà à quoi il pense, en attendant que le voyant s'allume. Chaque seconde que bat la grande aiguille de l'horloge de l'atelier est ôtée à son *délai de vie*. C'est plus angoissant que de voir couler son sang.

Il abaissa la manette maîtresse pour couper le courant et marcha jusqu'à la baie vîtrée. La presse s'arrêta avec une sorte de râle, comme une fuite d'oiseaux dans les roseaux.

Entraîné comme il est aux sports, il sait qu'on retrouve le contrôle de soi en respirant profondément. Il aspira à plusieurs reprises l'air frais de la nuit, en observant d'emplir complè-

tement ses poumons. Mais alors, il sentit des
larmes monter à ses yeux.

« Toquard », dit-il de lui-même à voix haute.

Un bruit de moteur dans la cour voisine;
Morel père rentrait sa voiture au garage. Juliette Doucét devait avoir rejoint Paul Morel.
Tant mieux, tant pis pour Paul Morel. Busard
pensa qu'il avait envie d'avoir une auto à lui,
une grosse, une huit cylindres comme Morel
père. Et Marie-Jeanne près de lui, dans l'auto.
Il repoussa violemment l'idée qu'il désirait la
voiture encore plus intensément que la présence
de Marie-Jeanne. Non, il avait envie d'avoir
Marie-Jeanne tout son soûl et qu'on leur
serve le déjeuner du matin au lit à tous les
deux.

« J'ai envie de faire tout ce qui me plaît »,
dit-il à voix haute.

Il repoussa violemment l'idée que les heures
dans le snack-bar seraient peut-être du temps
mort, comme celui auprès de la presse. Une
idée digne de son père ou de Chatelard. Avec
l'âge leur raison avait tourné, comme du lait.
Mais l'angoisse était revenue.

Busard sortit de l'atelier et marcha le long
des bégonias, en réglant son souffle, les bras
déployés à chaque respiration.

Dix heures sonnèrent. Le Bressan n'était pas encore là. C'était à prévoir. Il s'était soûlé à la *vogue* de son village. Plus une seule seconde à perdre : le compte-carrosses ne tournait pas. Mort pour mort, le temps passé à faire de la gymnastique devant les bégonias était aussi mort que le temps passé à servir la presse et il retardait l'échéance de vie. Busard courut à la presse. Il leva, détacha, baissa, trancha, sépara, jeta, attendit, leva, détacha, baissa, trancha, sépara, jeta, attendit, leva, détacha, baissa, trancha...

Le Bressan arriva un peu avant minuit. Il avait l'œil injecté de sang, mais il marchait droit. Il avait touché une prime de 4 000 francs pour avoir gagné la course de la fête patronale. Il tendit deux billets de mille à Busard.

« Non, dit Busard, c'est à toi.

— On partage tout.

— Non. C'était convenu que tu me rendrais en heures les heures que j'ai faites aujourd'hui pour toi.

— Je te rendrai les heures, mais tu prendras quand même les deux mille francs.

— Il n'y a pas de raison, dit Busard.

— Nous sommes les deux bœufs de la même paire », dit le Bressan.

Busard avait séparé, jeté; il attendait. D'un

coup d'épaules le Bressan l'écarta de la presse
et prit sa place. Il leva, détacha, baissa, trancha...

Busard sortit et s'engagea dans l'avenue Jean-
Jaurès pour rentrer chez lui. Il n'avait plus du
tout sommeil. Il fit demi-tour et se dirigea vers
le bal.

VII

Ce même premier dimanche de septembre, j'étais allé vers dix heures du soir boire un verre au *Petit Toulon,* chez Jambe d'Argent. L'ancien légionnaire et moi, nous passions de temps en temps la soirée à nous raconter des souvenirs de nos voyages.

« La patronne de l'hôtel Oriental à Bangkok, une Hollandaise...

— A qui le dis-tu?... C'est une copine à moi. Sers-nous encore un rhum pour boire à sa prospérité. »

Son temps de légion achevé, Jambe d'Argent avait tenté de s'établir ici et là par le monde. Mais l'argent qu'il avait gagné en un an à faire travailler à coups de trique les saigneurs de hévéas des plantations de Malaisie, ou à conduire des camions sur les pistes du haut bassin de l'Irrawadi, il l'avait toujours dépensé en moins d'une semaine, en buvant des alcools forts en compagnie de femmes provocantes et indiffé-

rentes. A soixante-dix ans, et revenu à Bionnas,
sa ville natale, où il avait hérité un bistrot d'un
lointain parent, il arrivait encore que son regard
s'illuminât de l'orgueil puéril des rois des bas-
quartiers. Je l'imaginais aisément, dans ses belles
années, au soir des grandes paies, entrant la
narine pincée et l'œil attentif dans un de ces
lieux qu'on nomme non sans magnificence *établissement de nuit;* c'était là qu'il avait décidé
d'*établir* sa nuit. Une balle reçue au cours d'une
rixe provoquée par lui pour ne pas laisser mettre
en doute qu'il était *un homme*, lui avait brisé
le genou; il était affublé d'une rotule de métal,
d'où son surnom.

Jambe d'Argent et moi, nous buvions donc
du rhum ensemble, ce soir-là, en nous racontant,
avec beaucoup de vantardises, nos aventures passées.

Vers les onze heures arrivèrent Paul Morel et
Juliette Doucet qui s'assirent dans un coin et
parlèrent à voix basse. Il était visible que Morel faisait des reproches à la jeune femme et
qu'elle s'amusait à l'exaspérer.

« Elle est superbe », dis-je.

Elle faisait éclater la robe de cotonnade
qu'elle avait mise pour aller aux régates. Son
rire sans retenue donnait le même plaisir que

de voir une montagne verdir à la fonte des neiges.

« Oui, dit Jambe d'Argent. Dommage qu'elle ne soit pas sérieuse. Paul Morel s'est sérieusement attaché à elle. Mais elle couche à droite et à gauche. Il finira par se lasser. »

C'était son habitude que de se consoler en parlant raison de n'avoir jamais été raisonnable.

Juliette était à l'âge où les très belles filles viennent de prendre conscience de leur pouvoir. L'universalité du désir qu'elles inspirent fait tous les hommes égaux devant elles. Comme Juliette n'avait pas encore été humiliée, elle laissait parler son cœur.

Voici ce qu'on m'avait raconté d'elle. Un jour, passant par la Cité Morel, elle avait été plaisantée par le père Flandin, un vieil ouvrier qui achevait sa vie solitairement dans un four de l'ancienne briqueterie, près de l'étang.

Elle lui avait tendu sa belle bouche :

« Prends, père Flandin, prends! Tu n'en auras plus jamais de pareille à te mettre sous la dent. »

C'était une chance qu'elle n'eût encore jamais été humiliée. Elle le devait pour une bonne part à son obstination à continuer de travailler, à l'atelier de collage de Plastoform, malgré les cadeaux qu'elle recevait et les offres bien plus considérables qu'on lui faisait. Elle savait que si Paul Morel la chassait de l'usine, elle trouverait du travail ailleurs. Elle restait ouvrière. Elle pouvait donc dire oui ou non, selon qu'il lui chantait.

Cela ne durera pas. Paul Morel ou Jules Morel, ou Jambe d'Argent pour le compte de quelqu'un d'autre, soumettront Juliette. C'était aussi certain qu'il avait été certain que Lenoir, maillot rouge, ou le Grenoblois, maillot bleu ciel, gagnerait le Circuit de Bionnas. Mais ce soir-là encore c'était une joie sans réticence que de la regarder. Peintre à l'ancienne manière, je l'eusse choisie pour allégorie de la générosité.

Paul Morel était devenu blême. Il parlait vite, en tapant avec son verre sur le marbre de la table. Juliette commençait à s'ennuyer. Le coin de sa bouche s'abaissa. Je détestai cela, qui me faisait penser qu'elle aura un jour la lèvre marquée du pli de l'amertume.

Il était minuit passé. La porte s'ouvrit. Busard entra. Il marqua un temps d'hésitation en voyant qu'il n'y avait que nous quatre dans la salle.

« Le champion de la presse à injecter! » annonça Jambe d'Argent.

Je fis signe à Busard de venir à notre table.
Jambe d'Argent se leva pour servir un nouveau
cognac *ballon* à Morel et à Juliette. Il commença de bavarder avec eux. Busard resta seul
avec moi et me raconta sa journée de quinze
heures.

« Tu devrais aller te coucher.

— Je n'ai pas du tout sommeil. »

Il fronça le sourcil, ce qui rapprocha encore
ses yeux. Il avait plus que jamais l'air *buté*.

Il me dit qu'en sortant de l'atelier, il était
passé au bal et qu'il n'y avait pas trouvé Marie-
Jeanne. Or il venait de me rapporter qu'il
l'avait fait prévenir qu'il rentrerait directement
chez lui. Il avait voulu vérifier si elle n'était pas
quand même allée danser.

Puis il était monté jusqu'à la Cité Morel et
avait frappé au carreau. Elle n'avait pas répondu.

Il n'avait pas insisté craignant, me dit-il, de
réveiller la mère, mais plutôt, pensais-je, d'irriter son amie.

« Il est vrai, dit-il, que nous ne devions nous
voir que mardi. Mais tout de même, elle sait
que j'ai travaillé depuis ce matin huit heures.
Elle n'est pas très... »

Il chercha le mot.

« ... elle n'est pas très affectueuse. »

Je lui proposai de boire un verre.

« Oui, dit-il. Ainsi j'arriverais peut-être à dormir. »

Je criai :

« Un rhum pour Busard!

— C'est moi qui vais le servir », cria Juliette.

Elle se leva précipitamment, passa derrière les bouteilles. Paul Morel parlait vivement à Jambe d'Argent; sans doute se plaignait-il. Je proposai qu'on réunît les deux tables.

« Oui, oui », cria Juliette.

Morel n'osa pas refuser et je commandai des grands verres pour tout le monde. Quand nous fûmes tous en train de boire :

« Il est jaloux, dit Juliette, en désignant Morel.

— On n'est pas jaloux d'elle, dit Morel.

— Il est jaloux de son père, qui m'a emmenée aux régates.

— Je ne suis pas jaloux, dit Morel. Mais je ne te permets pas de me rendre ridicule. »

Il nous prit à témoin.

« Il y avait aux régates beaucoup de gens qui me connaissent et qui m'ont souvent vu avec Juliette. Ils vont dire que je me suis fait souffler ma poule par mon père. »

Juliette releva vivement le mot.

« Ta poule ne veut plus de toi.

— C'est le vieux qui tient le fric.

— Ni du père, ni du fils, dit Juliette. Fini!

— Je connais les goûts du vieux. Tu n'es pas du tout son genre. S'il t'a emmenée, c'est pour la galerie. »

Juliette nous prit à son tour à témoin.

« Je ne lui fais pas dire. Ce qui compte pour le fils, c'est l'amour-propre et pour le père la galerie. Qu'est-ce que je viens faire là-dedans? »

Elle s'adressa plus spécialement à Busard.

« Ni l'un, ni l'autre ne serait capable de faire pour aucune femme au monde ce que tu fais pour la Marie-Jeanne. »

Busard tapa sur la table.

« Remettez ça, dit-il à Jambe d'Argent. C'est ma tournée.

— Non, dit violemment Juliette.

— De quoi te mêles-tu? demanda Busard.

— Paie la tournée si tu veux, dit Juliette. Mais je t'interdis de boire un verre de plus.

— De quel droit tu m'interdis?

— Tu ne vois donc pas qu'ils vont t'avoir? s'écria Juliette.

— Qui?

— Le père et le fils.

— Tu es marrante », dit Busard.

Jambe d'Argent nous servit. Il tint la bouteille suspendue au-dessus du verre de Busard.

« Alors? demanda-t-il en clignant de l'œil.

— Verse. »

Busard leva son verre en direction de Morel.

« Ta machine te salue, dit-il.

— Qu'est-ce que tu veux dire?

— Juliette a raison. Mais vous ne m'aurez
pas, parce que, moi, je vais me tirer.

— Tu as la mémoire courte, dit Morel.
N'ai-je pas fait l'impossible pour que tu puisses
gagner ces 325 000 francs?

— Je suis la machine idéale, dit Busard.
Rien à payer pour l'achat. Je ne te coûte que
l'entretien.

— Voilà ta reconnaissance!

— Dans dix ans, s'écria Juliette, tu seras encore en train de servir sa presse.

— Non, dit Busard, puisque je vais me
tirer. »

Il fit signe à Jambe d'Argent :

« Encore un verre! » dit-il.

Il vida le verre d'un coup. Il regardait
Juliette.

« Toi, dit-il, tu as du cœur... »

Il insista.

« Moi, je t'aime, dit Juliette.

— J'ai compris », dit Paul Morel.

Juliette se tourna vers lui.

« Tu as mis bien du temps pour comprendre.

— Bon, bon... »

Il s'efforçait de rire.

« ... Alors c'est moi qui dois me tirer?

— Bonne nuit, dit Juliette.

— Vous voyez comme elle est », dit-il...

Nous nous taisions tous. Nous le regardions. Il se leva et mit la main sur mon épaule.

« C'est idiot, dit-il. Mais j'ai vraiment le béguin pour elle. »

Il s'adressa à Jambe d'Argent.

« Tu mettras sur mon compte.

— Quoi? demanda Jambe d'Argent.

— Tout », dit-il.

Il ajouta :

« Je ne suis bon qu'à ça. »

Mais sa voix n'était pas agressive, plutôt craintive.

Busard et Juliette se regardaient et ne l'entendirent pas.

« Alors bonsoir », dit-il.

Il s'en alla.

Busard continuait de regarder Juliette. Il ne paraissait pas ivre. Il avait les traits tendus,

comme dans la troisième boucle du Circuit,
quand il continuait de pédaler, bien qu'il fût
tombé et qu'il eût la cuisse blessée.

« Tu es belle, dit-il. Comment peux-tu aller
avec eux?

— Si tu voulais, j'aurais bien vite oublié que
je suis allée avec eux.

— Quand je te vois, je suis content de vivre.

— Si tu voulais, Busard...

— Tu sais bien que j'aime Marie-Jeanne.

— C'est vrai. Tu aimes Marie-Jeanne.

— Tu es bien plus belle que Marie-Jeanne.
Tu es meilleure qu'elle. Je me sens mieux avec
toi. Pourquoi est-ce que j'aime Marie-Jeanne?

— Nous n'avons pas de chance, dit Juliette.

— Marie-Jeanne est un peu comme eux, dit
Busard. Elle calcule. Elle a de petits gestes.

— Tu ne veux tout de même pas que ce soit
moi qui la défende.

— Tu en serais bien capable.

— Oui, parce que je me mets à la place de
Marie-Jeanne. Elle se défend...

— Contre quoi?

— Elle se défend.

— Toi et moi, dit Busard, nous sommes des
lions.

— On croit ça.

« — Moi, je suis un lion. J'ai décidé de me tirer. Je me tirerai. Je ne lâcherai pas la presse à Morel tant que je n'aurai pas gagné ces 325 000 francs. Mais ensuite adieu à Bionnas!

— Petit lion...

— Tu te moques de moi?

— Ça ne fait rien, puisque je t'aime.

— Pourquoi te moques-tu de moi?

— Les lions ne se tirent pas.

— La vérité, c'est que tu ne voudrais pas que je quitte Bionnas. Alors tu dis que les lions ne se tirent pas. C'est parce que tu m'aimes.

— Tu as deviné, dit-elle.

— Jambe d'Argent, dit-il, remets-nous cela... Comme tu es belle, Juliette! »

Longtemps, dans la nuit, ils poursuivirent leur dialogue, répétant les mêmes questions, les mêmes réponses, les mêmes exclamations, tantôt dans un ordre, tantôt dans un autre, mais sans qu'intervînt d'élément nouveau, et parlant de plus en plus lentement à mesure qu'ils avaient davantage bu.

Mais qui serait entré à l'improviste n'aurait pas pensé qu'ils avaient bu. Busard se tenait un peu raide sur sa chaise, comme les jeunes gens des vieilles familles, qui ont été élevés sévèrement, qui paraissent toujours à l'aise parce que leur éducation leur est entrée dans les muscles, mais qui, en n'importe quelle circonstance, rentrent ventre et menton, comme il le leur a été appris. Quant à Juliette, elle supporte l'alcool comme un torrent la fonte des neiges.

La tête de Busard tomba tout d'un coup sur ses bras croisés. Il dormait.

Il était quatre heures du matin. Jambe d'Argent avait depuis longtemps abaissé les rideaux de fer.

« Busard, dis-je, doit relever le Bressan à huit heures.

— Est-ce que tu peux le coucher? demanda Juliette à Jambe d'Argent.

— S'il veut, il peut s'étendre sur la banquette.

— Tu le réveilleras?

— Il faudra bien qu'il se réveille. La servante commence à faire la salle à six heures. »

Juliette et moi, nous portâmes Busard sur la banquette.

« Apporte une couverture, dit Juliette à Jambe d'Argent.

— Tu me donnes des ordres!

— Dépêche-toi! »

Elle plaça la couverture sur Busard. Elle le borda. Elle posa un baiser sur son front.

« Comme j'aurais bien su t'aimer », dit-elle.

Elle sortit en se baissant pour passer sous le rideau de fer, et nous entendîmes aussitôt gronder son scooter.

« Un dernier rhum, dis-je à Jambe d'Argent. Comme elle est belle! »

VIII

Ce 5 novembre, à midi, les ouvriers de Plastoform furent mis en congé pour quarante-huit
heures, afin de permettre l'installation sur les
presses d'un nouveau système de refroidissement.

Un composé chimique allait remplacer l'eau
en circulation dans les parois de la matrice. Mais
il fallait auparavant modifier les serpentins,
pour que les acides ne mordent pas sur le métal.
Le temps de refroidissement des objets moulés
sera réduit des deux tiers.

Busard calcula aussitôt l'incidence du perfec-
tionnement de la machine sur son propre travail.

Il ne disposera plus que de dix secondes au
lieu de trente pour trancher la carotte, séparer
les carrosses jumelés, les jeter dans la caisse. Le
voyant rouge s'allumera dans le moment même

qu'il aura achevé la triple opération. C'était la
suppression du temps de repos.

Il frabriquera désormais un carrosse-corbil-
lard toutes les vingt secondes, 3 par minute,
180 par heure, 2 160 par jour. Pendant les treize
jours qu'il doit encore consacrer au service
de la presse pour achever de gagner les
325 000 francs, il fabriquera 28 080 carrosses-
corbillards au lieu de 14 040. Qu'est-ce que ça
peut bien lui faire désormais?

Chaque ouvrier faisait les mêmes calculs. On
discutait par petits groupes. Malgré l'avis de
fermeture, on ne quitta pas les ateliers avant
treize heures.

Pour faire échec au mécontentement la direction annonça simultanément une augmentation
horaire de 10 francs.

Busard calcula qu'il gagnera 2 440 francs par
jour au lieu de 2 040, ce qui devrait réduire
d'un jour et 3 heures le temps qu'il lui reste à
passer à l'usine. Mais les deux jours de congé forcé
étant payés au tarif ordinaire, sans la majoration
pour les heures de nuit, rien ne sera finalement
changé pour lui. Ce sera, comme il avait été
prévu, le dimanche 18 novembre à vingt heures,
qu'il aura terminé son exploit, et le Bressan, le
même jour à minuit.

Les deux garçons rentrèrent ensemble déjeuner chez les parents de Busard.

« Moi, dit le père de Busard, je me demande ce que les clients trouvent aux carrosses du père Morel pour en réclamer toujours davantage.

— Chamois, edelweiss ou carrosse, c'est aussi idiot, dit Busard.

— Je ne fabrique pas deux edelweiss qui soient identiques, protesta le père.

— Les clients d'aujourd'hui ne savent plus distinguer la qualité, fit remarquer la mère.

— Et je ne fabrique que quelques grosses d'edelweiss par an, continua le père.

— Tout de même, intervint Hélène Busard, je me demande pourquoi le père Morel s'entête à fabriquer des carrosses. La clientèle d'aujourd'hui préfère les autos.

— Je t'ai déjà expliqué, dit Busard, qu'il fabrique des carrosses parce que les Américains lui ont vendu au rabais un moule de corbillard.

— Tout de même, protesta Hélène... Moi, je tiens la comptabilité de notre affaire. Je connais les besoins de la clientèle. Je n'arriverais pas à vendre trois grosses de carrosses par an.

— Et des corbillards? » demanda le Bressan.

Hélène haussa les épaules.

« Le corbillard ne se vend pas en France, dit-elle.

— Le vieux Morel vend ses corbillards aux Nègres, dit Busard. C'est Paul Morel qui me l'a dit.

— Les enfants des Nègres sont sûrement comme les nôtres, dit Hélène. Je suis sûre qu'ils préfèrent les autos aux carrosses.

— Tout s'en va en Afrique. Je ne peux pas t'en dire davantage.

— Peut-être que les Nègres prennent ça pour des corbillards, dit la mère. Ces gens-là ont le goût macabre.

— Dans ce cas, dit Hélène, Morel les injecterait en noir.

— Le rouge, répliqua la mère, c'est peut-être la couleur de deuil des Nègres. Puisqu'ils ont la peau noire. Ce serait raisonnable.

— Vous déraisonnez, dit le père. La vérité, c'est que Morel a trouvé le moyen d'obliger les Nègres à acheter ses carrosses.

— Mais non, papa, dit Busard. Morel vend ses jouets à des comptoirs qui achètent aux Nègres tous leurs produits et qui leur vendent tout ce dont ils ont besoin. Ils ont aussi besoin de jouets, les Nègres...

— C'est bien ce que je disais. On leur prend

leurs cornes d'éléphant et on les paie avec des carrosses en matière plastique.

— Les éléphants n'ont pas de cornes, dit Hélène.

— On leur prend leur caoutchouc.

— Le caoutchouc, c'est en Indochine, dit Hélène.

— En Afrique aussi, intervint le Bressan. Je l'ai lu dans *Le Chasseur français*.

— Je sais ce que je dis, continua le père. Bernard se fait le complice d'un faux-monnayeur. On devrait le poursuivre.

— Tu exagères, dit la mère. Ces carrosses ne valent pas grand-chose, mais ils valent tout de même quelque chose.

— Bernard se fait le complice d'une mauvaise action.

— Merde, dit Busard.

— Sois poli avec ton père », dit Mme Busard.

Busard se leva et passa dans sa chambre. Le Bressan le suivit. Ils s'étendirent côte à côte et s'endormirent presque aussitôt. C'était la première fois depuis la mi-mai que ne pesait pas sur eux l'obligation de retourner à l'atelier trois heures plus tard.

Quand Busard se réveilla, le Bressan, assis

devant le chef-d'œuvre du père, faisait fonctionner les signaux de la circulation à l'entrée de
la rue Royale : feu rouge, feu vert, feu jaune,
feu rouge.

« Ton père a oublié quelque chose.

— Ne lui dis surtout pas.

— Il y a même une voiture de pompiers.
Mais pas un seul cycliste.

— Il ne doit pas y avoir beaucoup de cyclistes
dans Paris. Surtout place de la Concorde...

— On m'a dit qu'il y en avait encore...

— C'est vrai, s'écria Busard. J'en ai même
connu un. Il est venu en vacances ici. C'était
un porteur de journaux.

— Il y a longtemps?

— En 1946.

— Maintenant les porteurs de journaux
doivent avoir des mobylettes.

— Pas nécessairement, dit Busard. Ça dépend
du prix de revient et de l'amortissement.

— Ah! oui, dit le Bressan.

— Paul Morel m'a expliqué ces questions
pendant que tu courais dans ton village.

— Tu es bien copain avec lui!

— Pour ce que ça me sert... »

Ils restèrent un instant silencieux.

Puis ils se regardèrent.

« Oui? demanda le Bressan.

— Justement j'y pensais », dit Busard.

Ils allèrent décrocher leurs vélos, qui étaient pendus dans le bûcher, et partirent côte à côte, petit train, sur la route de Saint-Claude, vers le col de la Croix-Rousse.

Il avait plu. Les prés sentaient le champignon. Il faisait frais, pas encore froid. Busard se sentait les jambes beaucoup plus déliées qu'il n'aurait cru après tant de mois sans entraînement.

« Ça biche? demanda le Bressan.

— Oui.

— Je t'attends au col », dit le Bressan.

Et il força.

Busard le laissa aller puis appuya à son tour et le rattrapa aisément. A chaque coup de pédale, il paraissait faire davantage de chemin que le Bressan.

Quand il fut à sa hauteur :

« Mets un plus grand braquet, conseilla-t-il.

— Tu crois?

— Essaie. »

Le Bressan changea de braquet et alla plus à l'aise. Au premier lacet, Busard le passa, puis l'attendit.

« Il fallait mettre un plus petit braquet pour prendre le virage, dit-il.

— Tu as le même braquet que moi? demanda le Bressan.

— Plus petit maintenant, parce que je peine davantage que toi.

— Je suis plus fort, dit le Bressan.

— Oui, dit Busard. Mais je connais mieux le vélo que toi. »

Ainsi allèrent-ils, jusqu'aux approches du col, courant et devisant en même temps. A cinq cents mètres, il firent un sprint que Busard gagna par adresse.

Ils s'assirent au pied de la croix.

« Le premier vélo sur lequel je suis monté, dit le Bressan, n'avait pas de dérailleur.

— Quel âge avais-tu?

— En février de cette année.

— Tu n'étais jamais monté sur un vélo avant février?

— Non.

— Tu es champion.

— Oui... Mais je crois que je préfère les vélos sans dérailleur. Tous ces braquets, ça me brouille les idées.

— Ton premier vélo, combien avait-il de dents à l'arrière?

— Seize.

— C'est avec ça que tu as grimpé la Faucille?

— Oui.

— Tu es champion-champion!

— C'est vrai, dit le Bressan.

— Si en plus tu savais te servir de ton vélo, tu serais champion-champion-champion. »

Busard retourna sa bicyclette et se mit à expliquer le principe des démultiplications, et comment on utilise le dérailleur et les braquets, en fonction de la pente, du vent, selon qu'on prend un virage à la corde ou sur le plus grand rayon, et aussi en rapport de l'attitude des adversaires et en tenant compte de sa propre fatigue.

« En somme il n'y a pas de règle absolue, disait-il. Trop de facteurs entrent en jeu. Certains te diront pourtant qu'il y a des règles absolues. A mon avis ce n'est pas tout à fait vrai. Un grand coureur doit aussi *sentir* à quel moment il doit changer de braquet et quel calibre il doit choisir. Mais même si tu as de l'instinct, il faut d'abord que tu saches... »

Le Bressan posait des questions, répétait les réponses. Il voulait faire tout de suite l'épreuve de ses nouvelles connaissances et proposa de descendre au Clusot et de remonter par les

treize lacets. Il était trop tard. Le soleil était
déjà caché par les crêtes.

« On remontera aux lanternes.

— On ne court pas aux lanternes.

— L'hiver dernier, je me suis entraîné à la
lanterne.

— Pour être champion, tu es champion »,
répéta Busard.

Mais il insista pour revenir sans plus tarder
à Bionnas. A quoi bon s'entraîner, puisqu'il ne
courra jamais plus?

Ils descendirent tout petit train, pour rester
plus longtemps à vélo.

Au fait se demanda Busard, pourquoi ne
courrais-je jamais plus?

Il réfléchit qu'il était possible d'être à la fois
gérant de snack-bar et coureur amateur. Qu'on
peut même passer dans la catégorie des *indépendants,* laquelle est intermédiaire entre amateurs et professionnels; Robic, Antonin Rolland,
Darrigade avaient commencé leur carrière
comme *indépendants.* Que la gérance d'un
snack-bar est précisément le métier qui convient
à un *indépendant.* Que Marie-Jeanne, femme
de tête, tiendra l'établissement pendant qu'il
s'entraînera.

Il éprouva la même allégresse que le jour

où il avait inventé le moyen de gagner les 325 000 francs nécessaires pour obtenir Marie-Jeanne et le snack-bar.

Depuis lors, devant la presse à injecter, il avait eu trop le temps d'imaginer en détail le bonheur futur. Comme les électrodes des vieux accumulateurs, les mots et les images s'étaient encrassés. Le courant ne passait plus. Un snack-bar, c'est un restaurant. Gérer un fonds, c'est un travail. Une Cadillac, une Austin, une Mercédès, ce sont des automobiles. Un petit déjeuner au lit, c'est du chocolat et des croissants. De l'argent, c'est de l'argent. Marie-Jeanne, c'est une femme.

Au cours des dernières semaines, il n'y avait plus eu qu'une seule idée qui l'excitât : en terminer avec la presse; finir les quatre heures du poste; finir les trois postes de la journée; finir les 187 jours. Dans l'atelier chaque ouvrier épingle sur le panneau le plus proche de sa machine l'image de ce qui le hante ou de ce par quoi il croit ou veut être hanté; pour la plupart, c'est une *pin-up*, et Lollobrigida l'emporte sur toutes les autres; mais il y a des pudeurs qui faussent un choix qui peut rarement être interprété à la lettre; Lollobrigida symbolise peut-être une petite maigrichonne,

dont on veut taire le nom, à soi-même peut-
être, et qui se trouve évoquée par l'excès même
de ce qui lui manque. Pour d'autres, c'est une
motocyclette ou un scooter dont la photographie
a été détachée dans un catalogue. Busard avait
affiché une sorte de rectangle, découpé dans un
calendrier, le mois de mai à partir du 16, les
mois de juin, juillet, août, septembre, octobre
dans leur totalité et le mois de novembre
jusqu'au dimanche 18; il en barrait chaque
jour une ligne.

L'idée qu'il pourrait encore courir, et même
bien mieux qu'auparavant, comme *indépendant,*
rendit un sens aux treize jours qu'il devait encore consacrer à servir la presse aux carrosses.
Pourquoi n'y avait-il pas pensé plus tôt? Parce
que Marie-Jeanne s'opposait à ce qu'il fît carrière dans le cyclisme. En optant pour le snack-
bar, il avait renoncé à la gloire sportive. Pourquoi donc n'avait-il pas pensé qu'il lui resterait
la possibilité de courir comme *indépendant?*
Mais pourquoi donc personne n'avait pensé
avant 1873 qu'on pouvait se tenir en équilibre
sur deux roues en mouvement? Il renonça à
réfléchir sur la genèse des découvertes.

« On sprinte? » cria-t-il.

Et il fonça jusqu'à l'entrée de Bionnas, où

le Bressan le précéda, non seulement parce qu'il était le plus fort mais aussi parce que, pour la première fois, il ne s'était pas handicapé en choisissant mal les braquets. La nuit tombait. Marie-Jeanne faisait des *jours* à la lumière d'un plafonnier qu'un contrepoids lui permettait d'éloigner ou de rapprocher selon la finesse de l'ouvrage auquel elle travaillait.

Elle leur offrit des cerises à l'eau-de-vie. La mère rentra de l'usine.

« Vous n'avez pas de chance, dit-elle. Le syndicat vient de décider la grève... Pas beaucoup de commandes en ce moment, le père Morel n'est pas prêt de céder... ça peut durer des éternités comme en 1947, quand on est resté neuf semaines en grève... Il va falloir ajourner les noces.

— La traite est au 20 novembre », dit Busard.

Il avait versé 375 000 francs à la signature du contrat et signé une traite pour le solde au 20 novembre. Il avait tellement tenu à ne pas se laisser aller à allonger son *temps de presse* qu'il avait refusé le délai au 31 décembre que lui avait proposé le propriétaire du snack-bar.

« Ils feront un arrangement, dit la mère, on fait toujours des arrangements dans ces cas-là.

— Et s'ils ne voulaient pas faire d'arrangement? » demanda Busard.

Personne ne répondit.

« C'est trop idiot, cria Busard. Il ne me reste plus que treize jours à faire. Et pourquoi donc font-ils grève?

— Tu le sais bien, dit la mère. Le nouveau système de refroidissement accroît la production de cinquante pour cent. Morel a décidé lui-même une augmentation de dix francs de l'heure. Le syndicat réclame une augmentation de vingt francs de l'heure. »

Busard se tourna vers Marie-Jeanne.

« Qu'est-ce que ça peut bien me faire, dit-il, puisque je m'en vais... »

Marie-Jeanne continuait de broder les *jours*. Son visage resta indéchiffrable.

Busard se retourna vers la mère.

« Si Morel accordait les vingt francs, dit-il, je n'y gagnerais pas vingt-quatre heures!

— Les autres ne s'en vont pas », dit la mère.

Busard s'adressa de nouveau à Marie-Jeanne.

« Moi je m'en vais, dit-il. Grève ou pas grève, je travaille jusqu'à la fin de mon temps. Et puis je me tire. »

Marie-Jeanne leva la tête.

« Tu ne peux pas, dit-elle.

— Et pourquoi donc, je ne peux pas?

— Tu sais bien que tu ne peux pas. »

Busard ne répondit pas. Il s'assit près de la table, en face de Marie-Jeanne, la tête entre les mains.

« Pourquoi ne peut-il pas? demanda le Bressan.

— C'est déjà bien suffisant comme ça, dit sèchement Marie-Jeanne, que vous fassiez à deux le travail de trois.

— Si ce que nous gagnons nous suffit, dit le Bressan, on est bien libre, non?

— Et si on vous payait pour faire le mouchard, vous seriez libres, non?

— Ne l'engueule pas, dit la mère, c'est un paysan. Comment veux-tu qu'il comprenne? C'est la première fois qu'il travaille en boîte.

— Je n'ai jamais travaillé en boîte, dit Marie-Jeanne. Et je n'y travaillerai sûrement jamais. Ça ne m'empêche pas de comprendre.

— Toi, dit la mère, tu es fille d'ouvriers.

— Moi aussi, je suis fils d'ouvriers, dit Busard. N'empêche que, grève ou pas grève, j'irai à la boîte jusqu'à ce que mon temps soit fini. Et puis je m'en irai...

— Tu t'en iras tout seul, dit Marie-Jeanne.

— C'est tellement bête, dit Busard. Il ne me restait plus que treize jours à faire.

— Je n'ai jamais cru qu'on l'aurait, ton snack-bar.

— Nous l'aurons, dit Busard. La grève n'y changera rien. On fera bien patienter la traite quelques jours.

— Il arrivera quelque chose d'autre.

— Tu es désespérante.

— Vous aurez votre bistrot américain, dit la mère. Ce n'est pas à quelques jours près. Marie-Jeanne a tort de vous décourager. Mais on a l'habitude du malheur... »

Les délégués ouvriers cependant s'étaient rendus chez Jules Morel.

« Faites-la, votre grève, dit le vieux. Vous me rendrez service. Pas de commandes... Si vous ne la faites pas, cette grève, je serai obligé de licencier une partie du personnel.

— Je sais lire l'anglais, dit Chatelard.

— Qu'est-ce que tu veux dire? »

Le patron et le secrétaire du syndicat se tutoyaient depuis toujours. Ils se connaissaient aussi bien qu'un vieux braconnier le lièvre qu'il n'a jamais pu avoir et le lièvre le braconnier.

Chatelard lisait attentivement les journaux professionnels français et étrangers. Il avait étudié l'anglais et l'allemand en prison de 1940 à 1942 (il s'était évadé au moment où les Allemands étaient entrés en zone sud). Il venait ainsi d'apprendre que Plastoform avait sous-traité avec une grosse firme américaine pour une commande importante, dans des conditions avantageuses par rapport au marché français. Il l'expliqua.

« Donne-nous nos vingt francs, conclut-il. Tu n'y perdras rien. Et tu vas embêter tes concurrents; les ouvriers des autres boîtes vont réclamer à leur tour... »

Ils discutaient encore, mais c'était pour la forme. Jules Morel devait livrer dans un délai précis et Chatelard s'en doutait. Les délégués ouvriers furent intransigeants, le vieux Morel accorda les vingt francs et la grève n'eut pas lieu.

Le travail reprit dans les ateliers de Plastoform, le 7 novembre, à midi, comme il avait été prévu par la direction.

Le Bressan prit le premier poste.

Il ne s'était fait aucun souci de l'accélération de la cadence. Le travail aux presses est tellement au-dessous de sa force qu'il ne le considère pas comme un véritable travail; la succession de gestes : lever, détacher, baisser, trancher, séparer, jeter, ne demande aucun effort; ce qui ne demande pas d'effort n'est pas un travail. L'obligation d'accomplir les six gestes en vingt secondes au lieu de quarante n'y change rien. Zéro plus zéro égale zéro. A la vérité, il n'a pas encore compris que c'est son travail qu'on lui paie.

Dans le village de Bresse où il a toujours vécu, lorsqu'il n'a pas plu depuis longtemps, le curé invite ses paroissiens à une procession propitiatoire. Les hommes font des plaisanteries : « Moi, pour faire pleuvoir, je pisse sur la terre. » Mais la plupart d'entre eux suivent la procession. Peut-être même ne sont-ils pas tout à fait sûrs que de pisser par terre n'aide pas *aussi* à faire venir la pluie.

Le Bressan va à l'usine comme à la procession. Cela n'a pas encore cessé d'être un miracle pour lui que de gagner cent soixante francs de l'heure pour des gestes qui n'exigent aucun effort. Mais il n'aime pas du tout ce métier qui n'en est pas un. C'est aussi ennuyeux que d'assister à la grand-messe. Il faut, estime-t-il, être né feignant pour accepter de faire cela toute sa vie. Pour lui, l'événement fait partie des choses extraordinaires qui arrivent pendant l'année de cons-

crit : il racontera que cette année-là, il a bu
dix-neuf litres de vin et deux litres de marc au
banquet du 29 janvier, qu'il a gagné le Circuit
cycliste de Bionnas et qu'on lui a donné trois
cent vingt-cinq mille francs sous condition qu'il
assiste douze heures par jour, pendant six mois,
à une drôle de messe sans musique.

L'une des singularités de la France au début
de la seconde moitié du XXe siècle aura été
qu'aient travaillé dans la même usine, dans les
mêmes ateliers, le Bressan qui pense sa tâche
comme une magie, et Chatelard qui prépare une
grève en faisant l'analyse du marché. Au fait,
si le Bressan devait rester plus longtemps à
l'usine et surtout s'il passait de la presse aux
ateliers de mécanique où l'on fait des moules,
travail de précision et de réflexion, il suffirait
que ses camarades s'occupent un peu de lui
pour qu'il acquière le mode de réflexion, sinon
la maturité de Chatelard. Dans son village même
il y a des garçons qui ont cessé de croire à la
sorcellerie, le jour où ils ont appris à réparer
le moteur de leur tracteur (tant qu'on se borne
à y mettre de l'essence, de l'huile et de l'eau,
et d'appeler le mécanicien-sorcier quand il refuse quand même de marcher, le tracteur demeure un objet magique).

Mais la famille du Bressan avait trop peu de terres et d'argent pour acheter un tracteur. Et depuis qu'il vivait à Bionnas, travaillant douze heures par jour et dormant le reste du temps, il n'avait pas encore eu l'occasion d'entendre fonctionner une raison ouvrière. Il ne faisait que passer par Bionnas; voilà aussi pourquoi il se souciait si peu de l'accélération des cadences.

Il y trouva même un certain agrément. L'attente entre le jet dans la caisse des carrosses jumelés et l'éclairement du voyant rouge avait été pour lui la partie la plus *ennuyeuse* du rite.

Busard arriva un peu avant quatre heures.

« Ça va plus vite, dit joyeusement le Bressan.

— Ce serait fameux si nous étions payés aux pièces, dit Busard. A l'heure, nous sommes volés.

— Nous toucherons moins?

— Tu es champion!

— Pourquoi?

— Champion d'idiotie », dit Busard.

Il regarda les autres ouvriers, qui finissaient leur premier poste de huit heures à la nouvelle cadence. Le changement de rythme n'était pas perceptible. Les mouvements restaient aussi lents que par le passé; c'était un repos, un mouvement qui n'existait pas qui avait été supprimé; cela ne se voit pas. C'était à peine si les

hommes avaient l'air un peu plus ensommeillés
que d'habitude.

La division de leur journée en six postes de
quatre heures rendit le Bressan et Busard moins
sensibles à l'augmentation de la somnolence si
particulière, qui caractérise le service de la
presse à injecter.

Ce fut pendant les pauses entre les postes
qu'ils sentirent d'abord les effets de la fatigue
accrue. Le Bressan dormit moins profondément;
il esquissait le geste de trancher le cordon, de
séparer les carrosses jumelés; il se réveillait en
sursaut, cherchant le voyant rouge. Busard dormait encore moins qu'auparavant; dès qu'il
s'étendait sur le lit, il sentait des crampes,
comme le besoin de pédaler; il se jetait hors du
lit, d'un coup de ciseau des jarrets; mais dès
qu'il était debout, il se retrouvait les jambes
molles; et faute de vrai sommeil, il n'était jamais plus complètement réveillé. Plusieurs fois
par jour, ses joues devenaient brûlantes, ses
extrémités glacées. Il se sentait comme quelqu'un qui vient de boire un verre de vin après
un long jeûne. Il passait la main sur son front,
comme pour enlever les *fils de la Vierge* qui
collent au visage quand on se fraie un chemin
dans un taillis.

Le 15 novembre, les deux garçons n'avaient plus que trois jours à passer à l'atelier pour achever d'accomplir leur tâche.

Après le poste de l'après-midi, le Bressan, au lieu de rentrer comme d'habitude chez les Busard, s'étendit sur des sacs de matière plastique dans un appentis adossé à l'atelier. A huit heures du soir, Busard vint le réveiller et s'allongea à son tour sur les sacs.

A minuit, le Bressan revint dans l'appentis. Busard était étendu sur les sacs, légèrement soulevé sur le coude, les yeux ouverts.

« C'est ton tour », dit le Bressan.

Busard ne répondit pas, ne bougea pas.

« Il est minuit passé! »

Pas de réponse.

Le Bressan poussa le cri de guerre de son village.

Busard sursauta et se trouva debout.

« Quoi, demanda-t-il, qu'est-ce qui se passe?

— Tu dormais les yeux ouverts.

— Je ne dormais pas.

— La preuve que tu dormais, c'est que tu n'as pas entendu ce que je te disais.

— Tu as poussé ton cri de sauvage.

— Avant de crier je t'ai parlé.

— Alors, c'est vrai que je dormais.

— Les yeux ouverts », insista le Bressan.

Il examina Busard en silence.

« Qu'est-ce que j'ai? demanda Busard.

— Dépêche-toi... Il y a dix minutes que la machine ne fonctionne pas.

— J'y vais.

— Ecoute... Si tu as trop sommeil, réveille-moi avant l'heure. Moi, je tiens mieux le coup.

— Penses-tu », protesta Busard.

Il rentra dans l'atelier et rétablit le coupe-circuit de la grille de sécurité de sa presse. Dès le deuxième mois, le Bressan avait commencé de travailler sans dispositif de sécurité, grille ouverte, comme la plupart des ouvriers, qui s'épargnaient ainsi deux gestes sur six. Mais Busard était resté fidèle au serment qu'il s'était fait. La presse qui se referme sur les doigts et les broie, la main dans la presse, c'était une des choses qu'il avait le plus vivement imaginées à cette époque de l'enfance où la douleur apparaît encore plus insupportable qu'elle ne l'est dans la réalité. Chaque fois qu'en serrant la main à un inconnu, il n'étreignait que deux doigts ou trois, et puis il voyait les moignons, il sentait dans sa propre main comme si elle était en train d'être broyée.

En prenant son poste, il faisait sauter l'épissure nouée quatre heures plus tôt par le Bressan, nettoyait les fils avec son canif et les fixait dans le coupe-circuit, avec un tournevis qui demeurait caché en permanence entre le réservoir et le cylindre, à côté du chasse-tétons. A la relève, le Bressan tirait les fils et refaisait l'épissure. Avec l'entraînement qu'ils avaient acquis, chaque opération ne durait pas plus de deux minutes.

Busard enclencha la manette, ouvrit la grille, détacha les derniers carrosses jumelés moulés par le Bressan, baissa la grille...

A une heure du matin, Hélène Busard qui n'avait vu aucun des deux garçons depuis midi, vint à l'atelier.

Son frère détachait les carrosses du moule; il baissa la grille.

« Où est ton copain? On est inquiet que vous ne soyez venus manger ni l'un ni l'autre. »

Busard trancha le cordon, sépara les carrosses jumelés, jeta les deux pièces dans la caisse. Il avait des trous noirs sous les yeux et le visage couleur de plomb.

Il montra du doigt l'appentis où dormait le Bressan. Le voyant rouge s'alluma. Il leva la grille.

Hélène alla dans l'appentis et secoua le Bressan.

« Vous ne mangez plus, alors? »

Le Bressan s'assit sur les sacs de matière plastique.

Lui aussi avait les joues blêmes. Il la regarda, sans comprendre.

« Vous ne mangez donc plus?

— Je casserais bien la croûte, dit-il.

— Vous n'avez rien mangé depuis ce matin?

— Je crois bien que non.

— Venez à la maison. Je vais vous préparer quelque chose en vitesse. »

Le Bressan secoua la tête.

« J'ai sommeil », dit-il.

Il se rallongea sur les sacs, la tête entre les bras croisés.

Hélène courut à son frère.

« Tu n'as pas mangé non plus? » demanda-t-elle.

Busard leva la grille, détacha les carrosses...

« Veux-tu que j'aille te chercher quelque chose? »

Il trancha la carotte, sépara les carrosses...

« Je n'ai pas le temps, dit-il, ou plutôt... »

Il jeta les carrosses, leva la grille.

« Ou plutôt? » demanda-t-elle.

Il détacha les carrosses, baissa la grille.

« Plutôt », dit-il...

Il trancha, sépara, jeta.

« Plutôt quoi? » demanda-t-elle.

Il ouvrit, détacha.

« Rien », dit-il.

Il baissa, trancha, sépara, jeta... Hélène baissa la manette qui commande la force motrice (pas de femme de Bionnas, sauf peut-être Marie-Jeanne, qui ne connaisse la manœuvre d'une presse à injecter). Busard leva la grille; le moule ne s'ouvrit pas. Busard baissa la grille; le piston ne se mit pas en route. Il regarda sa main qui ne tenait rien, puis il leva les yeux vers sa sœur.

Hélène rencontra les yeux du garçon, mais elle eut l'impression qu'il regardait au travers d'elle. Elle courut au robinet, près de la porte d'entrée, remplit un gobelet et revint à grands pas. Elle lança l'eau au visage de son frère.

« Rentre à la maison », dit-elle.

Les autres ouvriers les regardaient, sans cesser d'ouvrir la grille de leur presse (quand ils n'avaient pas supprimé le dispositif de sécurité), détacher l'objet moulé, baisser, trancher, séparer, dans la lente cadence des presses à injecter. Ce n'était pas la première fois que la femme, la mère ou la sœur d'un ouvrier qui faisait des heures supplémentaires au-delà de l'habituelle

limite des forces intervenait brutalement pour
mettre fin à la prouesse.

Ils attendaient de voir qui allait l'emporter,
de l'opiniâtreté de l'homme à mener l'épreuve
jusqu'à son terme ou de l'indignation de la
femme à l'égard d'une entreprise attentatoire
au principe même de la vie.

« Il n'y en a plus que pour trois jours, dit
Busard.

— Rentre manger et dormir, dit Hélène. Ton
copain aussi! Vous travaillerez un jour de plus.
Vous n'allez pas vous tuer pour en avoir fini un
jour plus tôt!

— Je ne peux pas laisser la machine, dit
Busard.

— La machine attendra aussi, dit Hélène. Le
père Morel ne sera pas ruiné parce que sa presse
sera restée un jour sans marcher... Non? »

Busard alla à son tour jusqu'au robinet et mit
la tête sous le jet d'eau. Il revint en s'ébrouant,
une auréole de gouttelettes autour du visage.
L'œil était redevenu vif. Il regarda sa sœur,
le sourcil froncé.

« Nous n'en avons plus que pour trois jours,
répéta-t-il.

— Ça fera quatre, dit-elle.

— Quatre, je ne pourrai pas. »

Il enclencha la manette. Le piston chuinta dans le cylindre.

« J'aime mieux en finir d'un coup, dit-il. Trois jours, ce n'est pas la vie. »

Il prononça cela tout d'un trait, d'une voix égale, comme un homme parfaitement éveillé.

« Tu vois, dit-il, je tiens très bien le coup. »

Il leva la grille, détacha les carrosses jumelés.

« Le mieux, continua-t-il, ce serait que, pendant ces trois derniers jours, tu nous portes les repas ici...

— Jamais de la vie, dit violemment Hélène.

— Pour les trois derniers jours...

— C'est malsain de dormir dans votre capharnaüm.

— Trois jours », dit-il.

Il lança dans la caisse les deux carrosses symétriques et montra le calendrier épinglé sur la cloison.

« Dimanche, dit-il, à quatre heures de l'après-midi, je prendrai mon dernier poste... »

Il leva la grille, détacha les carrosses...

« ... le soir je te ferai danser. Marie-Jeanne ne sera pas jalouse. »

Il trancha le cordon.

« Je paierai une bouteille de mousseux.

— On verra ça, dit Hélène... Qu'est-ce que tu veux manger?

— Des fruits, dit-il, du chocolat... Comme les coureurs. »

Il leva la grille.

« On en est au sprint », dit-il.

Morel, le père, passa par l'atelier dans la matinée du samedi.

Il regarda le calendrier épinglé sur la cloison, face à Busard.

En face du dimanche 18, le garçon avait écrit :

LA QUILLE!

et au-dessous :

> 187 jours
> 4 488 heures
> 201 960 pièces

et encore au-dessous, en gros caractères cerclés de rouge :

> 325 000 francs.

Morel réfléchit un moment.

« Tu as gagné bien plus que ça, » dit-il.

Il avait l'habitude du calcul mental.

« 418 500 francs, dit-il.

— J'ai déduit la pension que je donne à mes parents », dit Busard.

Il leva la grille, détacha les carrosses jumelés.
Morel calculait mentalement.

« Tu leur donnes 500 francs par jour, dit-il.
Ce sont tes frais généraux.

— Il faut nourrir la machine, dit Busard.

— Tu sais faire un bilan, tu te débrouilleras...
325 000 francs de bénéfice net, en six mois et
quelques jours, c'est joli. Je n'ai pas toujours
gagné autant. Même maintenant, il arrive que
Plastoform tourne à perte. »

Busard baissa la grille, trancha la carotte.

« Il paraît que tu prends une gérance?

— Oui, dit Busard, un snack-bar, à côté d'un
poste à essence, sur la Nationale 7...

— Excellente idée, le snack-bar, c'est l'avenir.
Moi, maintenant, quand je vais à Paris avec la
Chevrolet, je ne déjeune plus qu'au snack-bar.
Je fais l'essence en même temps. Pas de perte de
temps, pas de *coup de fusil*... 325 000 francs de
caution?

— C'est 700 000, dit Busard. Ma fiancée et
moi nous avions de petites économies.

— J'espère que tu ne t'es pas fait rouler... »
Morel réfléchit un moment.

« Il te manquait 325 000 francs et tu les as
faits avec la presse... c'est bien cela?

— Oui, dit Busard.

— Tu vois que tout le monde peut devenir capitaliste. »

Busard détacha le carrosse du moule. Morel posa rapidement sa grosse main sur la grille et empêcha le garçon de la baisser.

Il compta sept secondes :

« Un... deux... trois... »

Le moule ne se referma pas.

« Bien, dit Morel. Tu n'as pas truqué le coupe-circuit. »

« Si tous les ouvriers étaient aussi sérieux que toi, il n'y aurait jamais d'accident. Ces grilles coûtent les yeux de la tête et les trois quarts du temps elles ne servent à rien parce que les ouvriers les bricolent... Quand tu seras patron, tu verras cela... les Assurances Sociales, la Sécurité du Travail, on ne s'en sort pas... »

Busard détacha le carrosse du moule.

« Je connais ta fiancée », dit Morel.

Busard resta la main posée sur la grille levée et le regarda. Morel jeta un rapide regard sur lui, puis désigna du doigt l'intérieur du moule :

« La peau de chamois », dit-il.

Busard alla chercher la peau de chamois, sous le réservoir.

« Une brave petite, ta fiancée, continua Morel. Sérieuse, tête froide... Vous arriverez. »

Busard astiquait le moule.

« Un jour... si vous avez besoin d'un coup de main... on ne sait jamais, une traite à avaliser par exemple... pourvu que ce soit sérieux, hein! pensez au papa Morel...

— Merci patron », dit Busard.

Il alla remettre à sa place la peau de chamois, baissa la grille... Morel s'éloigna du pas lourd de ses brodequins. Bien qu'il ne mît plus jamais les pieds dans la boue, il avait conservé l'habitude des souliers de chasse, son premier luxe, bien avant l'achat de sa première presse à injecter, quand il était encore tâcheron, avec deux compagnons.

Un peu plus tard, dans cette même matinée du samedi, passèrent Chatelard et un inconnu auquel il faisait visiter les ateliers. Busard supposa que l'inconnu était un ami politique du délégué. On avait distribué des tracts qui annonçaient une réunion politique pour le soir avec des délégués venus de Paris.

Les deux hommes regardèrent le calendrier épinglé en face de Busard et les notes ajoutées par le garçon au-dessous de *dimanche* 18 *novembre*. Chatelard parla bas à l'étranger. Busard

supposa qu'il racontait son aventure. Il leva la
grille, détacha les carrosses jumelés...

« C'est intéressant, dit Chatelard, à voix
haute. La moitié seulement du calcul a été faite.
Le moule a été cédé au rabais par une société
américaine qui essaie de s'introduire à Bionnas.
Le jouet est vendu 40 francs aux Comptoirs
généraux du Cameroun. Déduisons la force
motrice... la matière première... l'amortissement
de la presse... les frais généraux... je compte
large... »

Chatelard calculait mentalement aussi vite
que le vieux Morel.

« En six mois, dit-il, le vieux a gagné plus
de 500 000 francs sur le dos de ce garçon. »

Busard coupa la carotte...

« J'ai gagné davantage, dit-il. Les 325 000
francs, c'est mon bénéfice net. Mais j'ai donné
500 francs par jour à mes parents.

— On nourrit aussi les chevaux », dit Chatelard.

Busard baissa la grille.

« Vos salades, dit-il, moi je m'en fous. Demain
à huit heures, je me tire... »

L'inconnu interrogea Chatelard du regard.

« C'est un garçon qui veut *vivre aujour-
d'hui,* » dit Chatelard.

Busard trancha, sépara, jeta... Les deux hommes s'éloignèrent.

« C'est une boîte dure? demanda l'étranger.

— Toutes les boîtes sont dures, répondit Chatelard. Le vieux t'expliquerait qu'il ne peut pas être plus généreux que ses concurrents... C'est un ancien ouvrier... En 36, il a voté Front populaire... Pendant l'occupation, il a donné des sous aux maquis... Tout récemment encore, il m'a fait porter par son fils 20 000 francs, pour la souscription en faveur de notre presse...

— Il ménage l'avenir.

— Ce n'est pas si simple. Il est resté *rouge,* comme on dit ici... Il lui arrive encore de venir boire un verre à l'*Aube sociale,* les gars lui disent en riant : « Vieux renégat... toi, tu as « fait ta révolution tout seul. » Il se rengorge, parce qu'il est fier d'avoir été plus fort que les autres. Mais il dit : « Mon vieux cœur continue « de battre avec vous... », et cela aussi est sans doute vrai...

« N'empêche que si la boîte aussi n'est pas trop dure, c'est d'abord que le syndicat est fort...

— Le gamin aussi veut faire sa révolution tout seul, dit l'étranger.

— Mais aujourd'hui, ce n'est plus possible », dit Chatelard.

Pendant la pause de l'après-midi, Busard n'arriva pas à dormir. Il se tournait et se retournait sur les sacs de matière plastique, dans l'appentis. Finalement il se leva et vint se poster derrière le Bressan qui travaillait grille ouverte.

Le Bressan baissa, trancha, sépara, jeta. Busard lui offrit une cigarette et du feu en même temps. Le Bressan eut le temps d'allumer la cigarette. Le voyant rouge s'alluma, le moule s'ouvrit.

« Moi, dit le Bressan, en détachant les carrosses jumelés, j'ai fini demain à minuit.

— Moi à huit heures. Je viendrai te chercher. Je t'emmène au bal avec Marie-Jeanne et ma sœur.

— On va faire une de ces bringues », dit le Bressan.

Il trancha, sépara, jeta. Busard se dit que c'était trop bête de rester près de la presse pendant que l'autre était en train de travailler; il n'avait que trop de temps encore à passer là : quatre postes : seize heures-vingt heures, zéro heure-quatre heures, huit heures-midi, seize heures-vingt heures. Il alla jusqu'à la porte de l'usine. Des nuages bas s'effilochaient sur les crêtes, du côté de Saint-Claude. Au coin de l'avenue Jean-Jaurès, un cycliste dérapa sur le pavé mouillé. Busard frissonna et rentra dans l'atelier.

Au passage, plusieurs ouvriers lui sourirent silencieusement. L'un d'eux cligna de l'œil, en lui disant :

« Demain, la classe... »

Il rentra dans l'appentis et essaya de lire un journal qui traînait, un grand quotidien de Lyon. Cela ne l'intéressa absolument pas. Depuis qu'il avait quitté l'école, il n'avait jamais lu un livre, ni même un journal, sauf *L'Equipe* et *Miroir Sprint*. Il ignorait tout ce qui se passait dans le monde, sauf les choses du cyclisme, et quelques mots entendus presque malgré lui au cours des conversations à l'usine ou chez son père; encore fermait-il volontairement les oreilles à ces mots-là, reflets des « salades » avec quoi, croyait-il, on essayait de l'empêcher de gérer à sa guise sa propre vie. Marie-Jeanne de même. Ils se trouvaient l'un et l'autre, ouvriers à Bionnas, ville ouvrière, où l'on s'était battu pour Sacco et Vanzetti, d'où des volontaires étaient partis pour défendre l'Espagne républicaine, dont les murs avaient été couverts d'inscriptions contre le général Ridgway, ils se trouvaient l'un et l'autre aussi ignorants des événements de

leur temps que Paul et Virginie dans leur île.
De telles singularités étaient encore possibles et
même relativement fréquentes dans la France de
ce temps-là.

L'attention de Busard fut un moment retenue
par la rubrique sportive du journal tombé par
hasard entre ses mains. Mais on n'y parlait pas
de cyclisme. Il alluma une cigarette et s'efforça
de ne penser à rien; c'est difficile. Il se mit à
calculer malgré lui : encore seize heures, mille
quatre cents carrosses, deux mille deux cent
quatre-vingts fois à manier la grille de sécurité,
huit mille six cent quarante gestes à faire... Il
retourna dans l'atelier.

A quatre heures moins le quart arriva Hélène
qui apportait la collation. Marie-Jeanne l'accompagnait.

C'était la première fois que Marie-Jeanne
venait à l'usine. Elle portait un imperméable
bleu pâle, d'une matière presque transparente,
à la mode. Elle s'avança dans l'atelier, un peu
raide sur des talons hauts. Elle avait la bouche
maussade. Elle détestait d'avance l'usine. La
lumière froide des tubes fluorescents, les presses
allongées comme de grands animaux, les moules
qui s'ouvraient et se refermaient lentement,
broyeurs de mains, elle le savait, c'était bien ce

qu'elle avait toujours imaginé. Elle sentait tous les regards fixés sur elle.

Hélène, tellement plus à l'aise. Elle travaillait au tour, toute la journée, dans l'atelier paternel. Elle venait souvent à Plastoform, chercher les montures à polir. La plupart des ouvriers la tutoyaient. Elle était fiancée avec un mécanicien de l'atelier des moules.

« Tu es gentille d'être venue, tu es gentille, dit Busard à Marie-Jeanne. On touche à la fin. Tu vois que j'avais raison... »

Les bans étaient publiés. Ils devaient se marier le dimanche suivant et dès le lendemain partir pour le snack-bar. Il savait tout cela, qu'il avait tant souhaité. Mais il n'arrivait pas à être joyeux. Il se demanda pourquoi.

« Je me sens comme au cinéma, dit-il... Ce doit être la fatigue... »

Comme d'habitude, rien ne transparaissait sur le visage bien poncé de Marie-Jeanne.

Il croqua une tablette de chocolat. Hélène insista pour qu'il mangeât un sandwich.

« Non, dit-il, non, je ne peux pas. »

C'était l'heure de relever le Bressan, qui s'en alla dans l'appentis où Hélène lui porta sa collation. Busard recommença de servir la presse. Marie-Jeanne resta à côté de lui, silencieuse.

Il commença tout de suite à suer. Il ôta la veste de son bleu et continua de travailler en tricot de corps. Il ne faisait pas tellement chaud dans l'atelier. Marie-Jeanne supportait très bien la veste de laine qu'elle portait sous son imperméable. C'était l'atelier le plus moderne de Plastoform et il était convenablement ventilé.

Busard continuait de suer. Les gouttes tombaient tout droit de la pommette, qui est saillante, dans le creux de l'épaule, et puis glissaient doucement jusqu'au maillot de corps qui les buvait.

« Je reviens dans un moment », dit Marie-Jeanne.

Elle sortit de l'atelier, à grands pas cette fois, et revint presque aussitôt avec un petit flacon d'eau de Cologne qu'elle était allée acheter chez le coiffeur le plus proche, au coin de l'avenue Jean-Jaurès.

Busard levait la grille, détachait le carrosse...

Elle versa de l'eau de Cologne sur son mouchoir de batiste ajouré par elle-même.

Busard trancha la carotte.

Elle passa doucement le mouchoir sur le front du garçon, pour essuyer la sueur.

« Continue, dit-elle, continue... »

Elle massa la tempe.

Il sépara les carrosses jumelés, les jeta dans la caisse. Le voyant rouge s'alluma. Il ne leva pas la grille. Le moule ne s'ouvrit pas. La presse s'immobilisa.

Il lui mit les mains sur les épaules. Elle continua de masser la tempe. C'était la première fois qu'elle avait un geste de vraie tendresse.

« Mon pauvre grand », dit-elle.

Elle appuya un instant son front bombé, poli comme les beaux bois qui accrochent les lumières, contre le front mouillé du garçon.

Au fond de l'atelier un ouvrier siffla. Un autre fit avec les lèvres le bruit d'un baiser. Busard retira ses mains des épaules de la jeune femme. Il leva la grille, détacha les carrosses jumelés...

Marie-Jeanne glissa le flacon d'eau de Cologne et le mouchoir dans la poche de Busard.

« A demain, dit-elle. A huit heures, je viendrai te chercher. »

Hélène sortait de l'appentis, ayant laissé la collation au Bressan. Les deux jeunes femmes quittèrent l'usine ensemble.

Elles remontèrent côte à côte l'avenue Jean-Jaurès. Marie-Jeanne ne disait rien. Elle revoyait les épaules de Busard inondées de sueur, elle était bien plus émue que quand elle l'avait eu nu contre elle. A partir de maintenant, c'est à elle qu'il appartiendra d'essuyer sa sueur.

Elle prit le bras d'Hélène.

« Je suis heureuse », dit-elle, avec élan.

Hélène fut surprise, ayant toujours connu Marie-Jeanne parfaitement maîtresse d'elle-même. Elle tapota gauchement la manche de l'imperméable posée sur son bras.

« Mais oui, ma belle, dit-elle, ma belle, ma belle... »

A vingt heures, le Bressan vint relever Busard. Il donna une forte tape sur le cylindre.

« Charogne », dit-il à la machine.

Il frappa une seconde fois, une tape à assommer un bœuf. Mais la fonte est plus solide et ne vibra pas.

« Charogne, répéta-t-il. Demain, à cette heure-ci, ce sera mon dernier poste. »

Busard fut surpris par le geste du paysan. Il n'avait pas encore pensé à haïr la presse.

Il ne put pas dormir davantage que pendant la pause précédente. Après s'être tourné et retourné sur les sacs pendant une heure, il flâna dans les usines. Seul le travail aux presses se poursuit pendant la nuit. Dans les ateliers d'assemblage, les objets gisaient sur les tables, dans

la position où les avaient laissés les ouvrières
quand avait sonné la sirène de vingt heures.

Sur une table, une pile d'hélicoptères s'al-
longeait devant une rangée de chaises vides. Il
n'y avait que celui du bout qui portât tous
ses ailerons. Autant de chaises que d'opérations,
autant d'ouvrières que de chaises. Busard pensa
comme ce devait être triste de coller toute la
journée le même aileron sur le même pivot
mobile, et comme il avait eu raison de prendre
toutes dispositions pour fuir une ville où tout
le monde semblait trouver raisonnable des occu-
pations aussi absurdes.

Sur la table voisine, un poupon rose n'exigeait
que deux chaises, deux opérations : collage des
yeux bleus, assemblage du corps gauche et du
corps droit. Le poupon nègre exigeait trois
opérations, à cause des lèvres rouges, moulées
à part.

Il tomba sur ses carrosses qui s'alignaient devant une ribambelle de chaises, à cause des
quatre chevaux indépendants et du timon mobile. Les chevaux portaient une aigrette sur la
tête. Ils étaient blancs. C'était la première fois
qu'il voyait son travail achevé.

A onze heures, il alla trouver le Bressan.

« Je ne peux pas dormir... autant que je te

remplace tout de suite... Je te réveillerai à trois heures, et je ferai un saut à la maison. »

Il se mit au travail posément. Il pensait sans cesse : « Il ne me reste plus que deux postes à faire après celui-ci... et après la prochaine relève, j'aurai cinq heures de repos au lieu de quatre. »

A minuit, l'arrivée des ouvriers du premier poste du dimanche mit un peu d'animation dans l'atelier. Plusieurs lui tapèrent sur l'épaule.

« C'est ton dernier jour, tu es verni. »

Un gars lui dit :

« Le temps se lève. A huit heures, je m'en vais à la pêche. Le chevesne au sang. En novembre, le chevesne ne veut plus que du sang. »

Puis se rétablit le faux silence de l'atelier, avec au-dessous le chuintement des presses, leurs borborygmes, toute une rumeur de choses invisibles, comme dans la forêt, la nuit.

Busard détachait les carrosses jumelés... Le bruiteur de la presse entièrement automatique se mit à vibrer. Il laissa la grille ouverte et se dirigea vers la machine en détresse.

Il entendit derrière lui un bruit sourd, comme une bête qui choit dans l'eau.

Il se retourna brusquement. Il vit que le moule de la presse à carrosses venait de se refermer. La grille de sécurité était toujours levée.

Un frissonnement comme de la soie; le piston injecteur se mit en marche.

Busard pensa : « La presse est devenue folle. »

Il arrivait que les presses devinssent folles. Il suffisait d'un mauvais contact sur les liaisons électriques, pour dérégler l'enchaînement de leurs mouvements.

Busard se demanda combien d'heures allaient être nécessaires pour la réparation. Les mécaniciens n'arrivent qu'à huit heures du matin. Il dit à voix haute :

« La quille n'est pas pour demain... »

Dans le même moment l'angoisse l'agrippa au creux de la poitrine.

Le bruiteur de la machine entièrement automatique continuait de vibrer. Il arrivait que la folie parût se communiquer d'une machine à l'autre; la loi des séries, comme à la roulette.

Le voyant rouge de la presse au carrosse s'alluma. Le moule s'ouvrit.

Busard attendit sans bouger.

Le moule se referma. Busard s'écarta vivement.

Si la machine était vraiment devenue folle, le piston allait se remettre en marche. Or, la matrice était déjà pleine. Donc la matière en

fusion allait jaillir par le joint entre le moule
en plein et le moule en creux. C'était toujours
le piston qui était le plus fort, mû par une pression de plusieurs milliers de kilos.

Le piston ne bougea pas.

Donc la machine n'était pas folle. C'était seulement le système de sécurité qui ne fonctionnait
plus. Quand on levait la grille, le courant continuait de passer. C'était tout.

Busard pensa qu'il avait probablement oublié
de replacer le coupe-circuit.

Il alla au plus pressé, à la machine entièrement automatique qui continuait d'appeler au
secours. L'injecteur était obstrué par un téton;
il le dégagea, puis gratta la matière qui avait
collé au moule. Il rétablit le courant, la machine
se remit en marche et les gobelets du même
bleu que les yeux de Marie-Jeanne recommen-
cèrent de glisser sur le plan incliné.

Busard avait perdu dix minutes. Soixante carrosses de moins s'étaient inscrits au compteur
de la presse. S'il perdait encore du temps, même
une minute, il risquait l'amende. Pour compenser l'amende, il devrait faire un poste de
plus. La *quille* ne serait pas pour demain.

Il déclencha la manette-maîtresse, ouvrit le
moule par le dispositif à main, retira les derniers

carrosses moulés, renclencha. Le moule se referma, le piston se remit en route.

Busard travaillait maintenant grille levée.
« Je ne me rappelle pas ne pas avoir rétabli
le coupe-circuit, se disait-il. Je ne me rappelle
pas non plus l'avoir rétabli. Peut-être l'ai-je
rétabli, mais il ne fonctionne plus. Est-ce possible qu'il ne fonctionne pas? Les courants électriques sont sournois; ils finissent toujours par
passer quelque part. Ce qui est sûr c'est que le
courant passe, même quand la grille est levée.
J'ai pourtant rétabli le coupe-circuit. Non, je ne
l'ai pas rétabli. Oui, je l'ai rétabli. Je ne sais
plus. »

Il détacha, trancha, sépara, jeta, guetta le
voyant.

Le petit temps gagné, à ne pas lever et baisser
la grille, lui fit le même effet que quand on pose
un fardeau. Il était plus léger, il respirait mieux.
Mais il pensait : « Je dois arrêter la presse et
remettre le coupe-circuit. »

Il sentait cela très vivement. Il savait tout du
danger de travailler sans dispositif de sécurité.
Rien qu'à y penser, il sentait dans sa main le
broiement du moule qui se referme. Mais il se
dit aussi :

« Si je replace le coupe-circuit, je perds plus

d'une minute, j'ai l'amende et je n'aurai pas fini demain à huit heures. »

C'était absurde. Qu'il fabrique 201 780 carrosses au lieu de 201 960, qu'il gagne 324 700 francs au lieu de 325 000, cela ne pouvait plus rien changer à son destin. Il aurait même pu quitter l'atelier immédiatement. Il avait déjà gagné la caution exigée par le propriétaire du snack-bar. Le calcul n'était pas à quelques centaines de francs près. Mais c'était la dernière chose qu'il pût avoir la présence d'esprit de penser. Depuis six mois et un jour, tout son comportement était réglé sur un but unique : fabriquer 201 960 carrosses-corbillards, en 2 244 heures de travail, pour gagner 325 000 francs. S'il avait conçu qu'il était possible de transgresser, il y a longtemps qu'il aurait déclaré forfait. Il se dit encore :

« Si j'ai replacé le coupe-circuit, c'est le système qui est détraqué. Je *dois* stopper, attendre huit heures du matin, attendre que les mécaniciens aient réparé, attendre combien d'heures? combien de jours? »

Il trancha, sépara, jeta, guetta que le voyant s'allume, détacha les carrosses jumelés...

« Je vais me faire pincer les doigts. Je ne dois pas me faire pincer les doigts. »

Il mit une extrême attention dans son travail.

Le moule restait ouvert dix secondes. La main ne restait engagée dans le moule que quatre secondes.

Il accéléra le mouvement. C'était le plus sûr. Il compta les secondes à haute voix. Il parvint à détacher les carrosses en trois secondes, puis en deux secondes et demie. Il se gagna ainsi une marge de sécurité, de sept, puis de sept secondes et demie.

S'il avait eu la petite boîte de maxiton que naguère il laissait toujours dans la poche de son bleu... Mais depuis la nuit chez Jambe d'Argent, il s'était interdit de reprendre du maxiton. Il avait attribué à l'excès de maxiton la fringale qu'il avait eue, après le premier verre de rhum, d'en boire coup sur coup beaucoup d'autres. Il avait souffert de maux de tête pendant deux jours...

Maintenant, il regrettait amèrement d'avoir jeté la boîte de maxiton dans le massif d'hortensias, devant le baraquement de Marie-Jeanne.

Il compta de nouveau les secondes. Il continuait de détacher les carrosses en deux secondes et demie, trois secondes...

Il pensait aussi que la vivacité du geste et l'extrême attention qu'il exigeait, contri-

bueraient à l'empêcher de s'endormir. Il essaya
de se maintenir au même rythme, mais sans
compter les secondes, sur le mouvement
acquis.

Il regarda la grande horloge : une heure dix.
Il réveillera le Bressan à trois heures.

Quand il regarda à nouveau l'horloge, elle
marquait deux heures moins dix. Il compta à
haute voix le temps que la main demeurait dans
le moule : quatre secondes. Il dépassait même
légèrement les quatre secondes. Il pensa :

« Je vais me faire pincer les doigts. »

Il espéra une diversion; par exemple que la
presse entièrement automatique se dérangeât
de nouveau. Il guetta le déclenchement du bruiteur. Cela dura un bon moment. Il regarda de
nouveau l'horloge : deux heures cinq. Il
compta : sa main resta tout près de six secondes
dans le moule.

Il pensa :

« C'est absolument sûr que je vais me faire
pincer les doigts. »

Il espéra qu'un autre ouvrier se ferait pincer
les doigts avant lui. Il entendra le cri. Il lâchera
la presse pour se précipiter au secours de l'autre.
Dans ces cas-là tous les ouvriers de l'atelier aban-
donnent leurs presses et courent au secours du

blessé. Il fera comme les autres. Le temps que la voiture ambulance arrive, l'horloge marquera trois heures. Sauvé.

Il regarda l'horloge : deux heures vingt-cinq. Il compta : sa main restait six secondes et demie dans le moule. Il trancha la carotte, sépara les carrosses. Il dit à voix haute :

« Assez plaisanté! »

Il jeta dans la caisse les deux carrosses symétriques. Il décida : « Je vais replacer le coupe-circuit... Sauvé! » Le voyant rouge s'alluma. Il détacha, trancha, sépara, jeta, détacha, trancha...

L'horloge marqua deux heures quarante-deux. Il poussa un cri. L'ouvrier de la presse la plus proche se trouva tout de suite près de lui. La main était engagée jusqu'au poignet dans le moule fermé.

Busard avait la bouche grande ouverte, comme pour hurler, mais aucun bruit n'en sortait. L'ouvrier passa les mains sous ses épaules pour le soutenir.

Le moule s'ouvrit. Busard s'affaissa contre la poitrine de l'ouvrier.

Les autres accouraient. L'un d'eux était déjà au téléphone. Le Bressan dormait toujours.

La main tout entière était broyée. Une pression de plusieurs milliers de kilos. Des brûlures jusqu'au coude : un volume de matière en fusion exactement égal à celui de la chair et des os qui emplissait le moule avait fusé par les joints.

On lui fit un garrot. L'ambulance arriva. Les autres ouvriers retournèrent à leurs presses.

VIII

Le voyageur qui passe par Bionnas s'arrête quelques fois au café qui porte l'enseigne *Au petit Toulon*.

Des joueurs de tarot, jeu de cartes fort pratiqué dans les monts du Jura, occupent habituellement une table d'angle, au fond de la salle. L'un des joueurs est manchot. Un instrument d'acier nickelé, qu'on devine fixé au moignon, mi-pince, mi-crochet, sort de la manche : il y tient ses cartes étalées en éventail. Les autres joueurs se renouvellent selon les heures de la journée. Mais le manchot est toujours là, assis sur la banquette, à la place d'angle. Il joue au tarot depuis l'ouverture du café jusqu'à sa fermeture, qui se fait parfois tard. C'est Bernard Busard, patron de l'établissement.

De temps en temps, il frappe sur la table de marbre avec l'instrument d'acier fixé à son moignon. Marie-Jeanne, sa femme, la patronne, accourt.

Busard dit en très peu de mots ce qu'il a à dire.

« Le client du six a réclamé de payer.

— J'y vais, répond Marie-Jeanne.

— La pression de la bière baisse.

— Je descends à la cave.

— Le père Venay a envie de rigoler. Pourquoi lui fais-tu une figure d'enterrement?

— Je vais essayer d'être aimable.

— Souris!

— Oui », dit Marie-Jeanne.

Busard tape un petit coup sec sur le marbre de la table, avec sa main d'acier. Les autres joueurs ont l'air gêné. Marie-Jeanne file.

Le plus souvent c'est pour commander à boire qu'il tape sur la table.

« Une autre tournée!

— Bien, dit Marie-Jeanne.

— C'est la même chose? » demande-t-elle aux autres joueurs.

Ils répondent ceci ou cela. Pour Busard c'est toujours du rhum. Il en boit depuis le matin jusque tard dans la nuit. Apparemment, il n'est jamais ivre. Mais ses yeux paraissent se rapprocher à mesure que la journée s'avance. Cela lui donne l'air sombre et méchant.

Marie-Jeanne est nette et propre, toujours exactement *poncée,* comme par le passé.

Un jour — c'était six mois après qu'ils eurent acheté le fonds —, j'ai demandé à Busard pourquoi il était si dur avec sa jeune femme.

« — C'est une putain », m'a-t-il répondu.

J'ai protesté. Il m'a coupé sèchement.

« Je sais ce que je dis. »

Et il a annoncé ses cartes.

Il m'a fallu revenir maintes et maintes fois sur la question, et par des biais variés, pour obtenir qu'il s'expliquât.

Après l'accident, le propriétaire du snack-bar était revenu sur son engagement. La clientèle de la Nationale n° 7 n'aime pas être reçue par un manchot. Et comment Busard aurait-il servi avec un seul bras? C'était Marie-Jeanne qui était allée à Lyon, pour lui porter les 325 000 francs.

« Mais je ne veux pas, avait-il dit, abuser de la triste situation où se trouve votre fiancé... »

Et malgré le contrat qui prévoyait dédit, il avait rendu les 375 000 francs déjà versés.

Marie-Jeanne était donc revenue à Bionnas avec 700 000 francs. Busard était encore à l'hôpital. Les brûlures de l'avant-bras s'étaient infectées; il avait de la fièvre; il répétait :

« J'y ai laissé mon bras, mais je me tire... »

Il se rappelait l'histoire apprise à l'école, d'un renard qui s'était amputé d'une patte, en

la rongeant, pour échapper d'un piège. Il déli-
rait :

« Je suis un fameux renard! »

Marie-Jeanne lui avait caché l'échec de sa
démarche.

Dans le même temps Jambe d'Argent avait
fait savoir qu'il voulait quitter Bionnas, champ
trop étroit pour le talent qu'il se croyait d'or-
ganiser les fêtes de la nuit; il avait trouvé un
bistrot à acheter à Paris, dans le voisinage de
la Bastille. Il mettait le *Petit Toulon* en vente
pour 2 millions dont 800 000 francs comptant.

Tout le monde s'était entremis, y compris les
Morel, le père et le fils, pour que Jambe d'Argent abaissât ses prétentions, et que Marie-
Jeanne pût acquérir le fonds. Deux millions au
demeurant était un prix élevé par rapport au
chiffre d'affaires du *Petit Toulon*.

Jambe d'Argent était resté ferme sur ses prétentions toute une semaine, et puis avait soudain cédé. Marie-Jeanne avait acquis le café
pour 700 000 francs comptant et un million en
traites échelonnées sur deux ans.

Quand l'acte de vente avait été signé, Busard
n'avait plus de fièvre. Une période d'abattement
avait succédé. Marie-Jeanne lui avait expliqué
ses marchandages successifs, sans donner trop de

détails. Il n'avait réagi d'aucune manière. Ce qui l'avait surpris, à la réflexion, ç'avait été que Marie-Jeanne eût accepté de rester à Bionnas.

Ils s'étaient mariés dès que Busard était sorti de l'hôpital et avaient aussitôt pris possession du *Petit Toulon*.

Busard avait remâché des pensées mortifiantes. Il s'était persuadé que toute la ville se moquait de lui. Le gars qui voulait *vivre aujourd'hui*, le petit crâneur qui avait trouvé une astuce pour *se tirer*, il y avait perdu le poing, et le voilà vissé pour toute la vie à Bionnas, et patron de bordel. Il se trompait complètement; on le plaignait tout simplement. La mauvaise réputation qu'avait eue le *Petit Toulon* du temps de Jambe d'Argent l'humiliait tellement que dès qu'une jeune fille riait un peu fort, il la mettait à la porte. Il s'approchait de la table, tapait deux petits coups secs avec sa main d'acier :

« Allez, ouste! Et pas la peine de revenir. Ici, ce n'est pas un bobinard. »

Les garçons qui accompagnaient la jeune fille n'osaient rien dire, parce qu'il avait l'air terrible, parce qu'on ne peut pas se battre avec un manchot, et aussi parce qu'on avait pitié de lui. Mais ils ne revenaient plus.

Il avait également mis à la porte Juliette Doucet. Peu de temps après, elle avait quitté
Bionnas, en compagnie d'un voyageur de commerce. On la rencontre maintenant dans les
bars de nuit de Lyon. Elle a déjà perdu l'éclat
qui faisait penser à une montagne au printemps.

Busard portait des sandales à semelles de
corde; et les premiers temps qu'il avait été patron du bistrot, avant qu'il se fût mis toute la
journée à jouer aux tarots, il surgissait silencieusement derrière les tables, ou derrière le
bar, à l'improviste, essayant d'entendre des
fragments de conversation.

C'était ainsi qu'il avait surpris une dispute
de Marie-Jeanne et de Jules Morel. Marie-
Jeanne se tenait debout derrière le bar, Jules
Morel devant, penché au-dessus du *zinc*.

« ... ensuite, je te foutrai la paix, avait dit
Jules Morel.

— Non, avait répondu Marie-Jeanne.

— Jamais une femme ne m'a coûté aussi
cher...

— Il fallait réfléchir.

— Et si je te réclamais toute la somme d'un
seul coup?

— Je n'habite plus la Cité et le bar n'est
pas à mon nom.

— Je peux mettre ta mère à la porte.

— Essayez voir!

— Garce! »

Jules Morel était parti sans avoir vu Busard.

« Tu as couché avec lui pour qu'il donne pour l'achat de la boîte les 300 000 francs qui manquaient... Je n'ai jamais cru que Jambe d'Argent avait abaissé ses prétentions, rien que pour me faire plaisir... »

Marie-Jeanne avait nié avec obstination. C'était vrai qu'elle devait trois ans de loyer de son baraquement à la Cité Morel. Mais elle n'avait jamais couché avec le vieillard. Elle avait promis, mais elle n'avait pas tenu sa promesse; c'était pourquoi il venait faire des scènes.

« Il a dit : « une fois encore et je te fou-« trai la paix »...

— Il a dit : « une seule fois »... C'est ce que je lui refuse.

— Tu as fait de moi un maquereau! »

Marie-Jeanne niait et niait encore. La discussion avait duré des jours et des nuits. C'était depuis ce moment-là que Busard traitait durement Marie-Jeanne.

J'interrogeai Cordélia. Elle avait eu, depuis l'accident, plusieurs conversations avec son amie, quoique Busard vît d'un mauvais œil leurs conciliabules, et les interrompît sous prétexte d'exiger ceci ou cela de sa femme.

« Marie-Jeanne n'a jamais rien eu avec le vieux Morel, affirma fermement Cordélia.

— Faisons les comptes, dis-je, puisque c'est notre manière de vérifier l'intégrité de nos amis. »

Marie-Jeanne avait versé 700 000 francs comptant; nous connaissions l'origine de ces 700 000 francs; rien de trouble là-dedans. Elle avait signé des traites pour un million; le fonds de commerce faisait garantie; rien que de normal. Mais pourquoi Jambe d'Argent avait-il tout à coup renoncé aux 300 000 francs qu'il avait d'abord exigés avec tant d'âpreté? Voilà qui me paraissait suspect, tout comme à Busard.

« Il a eu bon cœur, dit Cordélia.

— Je ne le croirai jamais. »

Je croyais Jambe d'Argent capable de dépenser 300 000 francs dans une nuit, de les jouer et de les perdre, à la rigueur de les donner à trois heures du matin à quelqu'un qui lui rappellerait ce qu'il avait été dans sa jeunesse, mais d'y renoncer devant notaire, jamais.

« Je fais confiance à Marie-Jeanne, s'obstinait à répéter Cordélia. Elle ne m'a jamais menti.

— Vous chuchotez trop souvent.

— Affaires de femmes... »

Elle me rappela notre ancienne conversation :

« Nous sommes comme les boys. Nous avons des secrets qui ne concernent pas les Blancs.

— Précisément. Tu me mens aussi. Tu ne veux pas trahir Marie-Jeanne. »

Nous reprenions les mêmes arguments, je ressentais les mêmes doutes, le débat n'en finissait pas.

Le premier dimanche de mai 1955, le Bressan qui faisait son service militaire, obtint une permission et vint courir le Circuit de Bionnas, qu'il gagna; il savait maintenant se servir de son dérailleur.

Nous passâmes le début de la soirée avec lui au *Petit Toulon*. Il n'était pas encore ivre. Cordélia le prit à part et ils eurent une longue conversation. Cordélia parlait avec beaucoup d'animation; elle paraissait poser des questions; il répondait en peu de mots, d'un air embarrassé; il rougit à plusieurs reprises. Il commanda à boire; elle l'empêcha de toucher à son verre. Elle semblait insister et lui se dérober.

« Tu as tout l'air du Grand Inquisiteur », criai-je à Cordélia.

Soudain elle nous appela, Busard et moi.

« Raconte », dit-elle au Bressan.

Il expliqua que c'était lui qui avait donné à
Jambe d'Argent les 300 000 francs qui manquaient à Marie-Jeanne. Dans l'heure qui avait
suivi, il était parti à bicyclette pour son village,
afin d'y dépenser joyeusement, avant d'être
appelé militaire, les 25 000 francs qui lui restaient. Avait-il demandé un reçu? Bien sûr.
Pouvait-il nous montrer le reçu? Il ne savait
plus ce qu'il en avait fait; sans doute l'avait-il
mis dans le tiroir de la table de ferme, chez ses
parents; il cherchera, quand il retournera chez
lui. Pourquoi avait-il donné ces 300 000 francs?

« Bernard est mon copain. »

Pourquoi Jambe d'Argent n'en avait-il rien
dit?

« Je lui ai demandé de n'en rien dire. Il
suffisait que j'aie le reçu. »

Pourquoi avait-il demandé le secret à Jambe
d'Argent? Pourquoi s'était-il enfui sans rien
dire?

« Ça ne regardait que moi... »

Il s'obstinait à ne pas donner davantage
d'explications. Busard le regardait soupçonneusement. Moi non plus, je ne le croyais pas sans
réserve.

Quand nous fûmes seuls, je demandai à Cordélia :

« M'expliqueras-tu pourquoi il n'a pas remis l'argent à Marie-Jeanne? Pourquoi il s'est sauvé, comme s'il avait volé ces 300 000 francs, au lieu d'en avoir fait cadeau à son *copain?*

— Parce qu'il était honteux.

— Il me semblerait plus normal qu'il se fût pavané.

— Il était honteux parce que selon sa morale à lui, il aurait dû consacrer l'argent qu'il venait de gagner comme par miracle, à acheter les bœufs et les vaches dont son père avait besoin, et dont il aurait lui-même besoin par la suite. »

Il craignait aussi de paraître bête. Selon sa conception de l'intelligence, on ne gaspille pas 300 000 francs, sur un élan du cœur.

« Bien sûr, dis-je, bien sûr... »

Busard refusa de croire au récit du Bressan. Il resta persuadé que Cordélia lui avait soufflé ce qu'il devait dire. Il continua de maltraiter Marie-Jeanne.

Au moment où j'achève d'écrire ce récit, on me dit que depuis trois mois les traites souscrites à Jambe d'Argent n'ont pas été honorées. Je n'en suis pas surpris, la maussaderie de Busard

ayant peu à peu découragé les clients. Mme Lemercier vient de confier à Cordélia que son
gendre songe à mettre le fonds en vente et à
reprendre du travail à l'usine; avec un peu d'entraînement on peut servir une presse à injecter
avec une seule main; Jules Morel accepte qu'il
en fasse l'essai. Marie-Jeanne a perdu sa clientèle de lingère; mais Paul Morel lui offre une
place dans les ateliers d'assemblage; « elle sera
moins esclave que dans le commerce. »

Ils vivront tous les trois dans le baraquement
de la Cité Morel, que la mère a eu la sagesse
de ne pas abandonner pour un logement plus
petit. Busard gagnera maintenant 190 francs de
l'heure, une grève déclenchée dans le mouvement d'indignation qui avait suivi sa mutila-
tion ayant abouti à une nouvelle augmentation
de dix francs.

Il touche aussi sa pension d'invalidité du travail.

« Nous serons pas mal à l'aise », dit
Mme Lemercier.

IMPRIMÉ EN FRANCE PAR BRODARD ET TAUPIN
7, bd Romain-Rolland - Montrouge - Usine de La Flèche.
LE LIVRE DE POCHE -
ISBN : 2 - 253 - 00667 - X

Le Livre de Poche policier

Pluriel

Cette nouvelle collection, consacrée aux essais et aux livres de « sciences humaines », offre une double originalité :

● elle est constituée à partir des fonds de nombreux éditeurs ;

● les textes proposés font l'objet d'une édition entièrement remise à jour, ils sont acompagnés d'une préface ou d'une postface, de notes et annexes facilitant la compréhension de la démarche de l'auteur et faisant le point des recherches dans le domaine étudié. Certains livres ou documents sont augmentés d'un véritable « dossier critique ».

Le Livre de Poche historique

Histoire ☆ Biographies
Documents ☆ Témoignages

Le roman vrai...

Une **série historique** abondamment illustrée dirigée par Gilbert Guilleminault